LE FUTUR EST ENTRE VOS MAINS | LEXUS HYBRID DRIVE

Couverture / Cover

Suzi Eszterhas /
Manchot Adélie
[Pygoscelis adeliae].
Ile Paulet, Antarctique.
Adelie Penguin
[Pygoscelis adeliae].
Paulet Island, Antarctica.

sommaire
contents

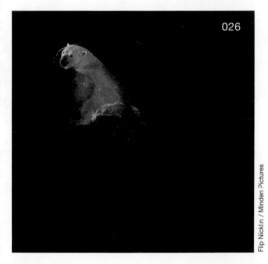

026

Flip Nicklin / Minden Pictures

Christian Ziegler / Minden Pictures

010

Donnons au réseau un nouvel environnement

Réseau Ferré de France met chaque jour ses voies, ses quais et ses équipements au service de vos mobilités pour vous donner accès au plus écologique des réseaux de transport.

→ www.rff.fr

éditorial / editorial

Jean-François Julliard
Secrétaire général
de Reporters sans frontières
Secretary-General
of Reporters Without Borders

Mitsuaki Iwago / Minden Pictures

Lionne [Panthera leo]. Parc national de Serengeti, Tanzanie.
African Lion [Panthera leo]. Serengeti National Park, Tanzania.

THE PLANET'S
WATCHDOGS

We have said it before and we will say it again: no issue, no campaign can make its voice heard without a free press.

And defence of the environment is no exception. How can you combat pollution of lakes and rivers in China if journalists are not free to expose the consequences? How can you stop massive deforestation in Cambodia if the national media are under orders not to mention it? How can you end rare wood trafficking in Africa if people threaten to kill reporters who try to cover the story and sometimes throw them in jail?
Such violations of the freedom of those who defend the environment are not new. Back in 2002, Reporters Without Borders awarded its annual Press Freedom Prize to Grigory Pasko, a Russian journalist imprisoned for filming the Russian military dumping radioactive waste in the Sea of Japan. Events have been accelerating since then. More and more journalists are investigating the harm being done to our planet. Yet governments of authoritarian countries aware of what is at stake, do not hesitate to use the most radical means to silence troublesome reporters. ▶▶

LES SENTINELLES
DE LA PLANÈTE

Répétons-le encore et encore : sans une presse libre, aucun combat ne peut être entendu.

Et la défense de l'environnement ne fait pas exception. Comment lutter contre la pollution des lacs et des rivières en Chine si les journalistes ne sont pas libres d'en révéler les conséquences ? Comment enrayer la déforestation massive au Cambodge quand les médias locaux ont ordre de ne pas en parler ? Comment mettre fin au trafic de bois exotique en Afrique si les reporters qui enquêtent sur le sujet sont menacés de mort et, parfois, jetés en prison ?
Ces entraves à la liberté des défenseurs de l'environnement ne sont pas nouvelles. Déjà, en 2002, Reporters sans frontières accordait son prix à Grigory Pasko, un journaliste russe emprisonné pour avoir filmé des militaires de son pays en train de déverser des déchets radioactifs dans la mer du Japon.
Depuis, le processus s'est accéléré. De plus en plus de journalistes enquêtent sur les dommages causés à notre planète. Mais les gouvernements des pays autoritaires ont pris conscience de l'enjeu et n'hésitent pas à employer les moyens les plus radicaux pour faire taire ces reporters dérangeants. ▶▶

Colin Monteath / Minden Pictures

Cheminées d'usine dans le brouillard d'hiver.
Christchurch, Canterbury, Nouvelle Zélande.
Factory chimneys in the winter smog.
Christchurch, Canterbury, New Zealand.

Hugues, client depuis 1999

Quand Hugues démarre son activité de producteur indépendant d'énergie hydraulique en 1985, il fait le pari des énergies renouvelables quand les enjeux énergétiques n'étaient pas si clairement définis. En 1999, pour se développer dans cette industrie lourde, il a besoin d'un partenaire financier qui partage la même vision à long terme.

MAIS QUI AIDE HUGUES ?

A la Société Générale, nous l'accompagnons depuis 10 ans dans ses investissements. Aujourd'hui, il dispose de 22 installations hydroélectriques, de 3 parcs éoliens et d'une technologie solaire dont il est leader en France. C'est ainsi que nous aidons chaque mois 1 100 entreprises et associations dans leurs projets.

SOCIETE GENERALE

On est là pour vous aider

www.societegenerale.fr

Carr Clifton / Minden Pictures

Mark Moffett / Minden Pictures

▶▶ These journalists, together with ecological movements, are the Earth's watchdogs. They are the people who alert us to the damage being done to nature and who, above all, blow the whistle on those responsible for these criminal actions – profit-hungry corporations, governments and individuals.
Reporters Without Borders has been fighting for nearly 25 years to protect the rights of journalists who denounce the scourges threatening our societies. Access to information about our planet's health should be totally unrestricted. Every one of us has the right to know what is ailing the world in which we live. We cannot protect the Earth properly if we are not free to denounce its enemies.
A free press is essential to protect nature. That is why Reporters Without Borders has joined with the Minden Pictures agency to offer you this collection of photographs. These 100 photos testify to our planet's beauty. They show us a world pulsating with life, yet delicate and fragile. They express both its vitality and strength and its vulnerability to the assaults being made against it.
By buying this book, you will help journalists to better defend our planet. You will help to denounce the continuing censorship of environmental problems. And you will help Reporters Without Borders to continue its constant fight for a freer world. ■

Jean-François Julliard
Secretary-General
of Reporters Without Borders

Prairie de Yucca filamentosa. Forêt nationale Lewis and Clark, Montana.
Bear Grass [Yucca filamentosa] meadow. Lewis and Clark National Forest, Montana.

Fourmi charpentière [Camponotus sp] sur la vrille de la plante carnivore hôte [Nepenthes villosa]. Bornéo.
Carpenter Ant [Camponotus sp] on tendril of host Villose Pitcher Plant [Nepenthes villosa]. Borneo.

▶▶ Ces journalistes sont pourtant, aux côtés des mouvements écologistes, les sentinelles de notre Terre. Ce sont eux qui nous alertent sur les entailles faites à la nature et, surtout, qui demandent des comptes aux responsables de ces actes criminels : entreprises, Etats ou individus mal intentionnés. Reporters sans frontières lutte, depuis bientôt vingt-cinq ans, pour protéger les droits de ces journalistes qui dénoncent les fléaux de nos sociétés. L'accès à l'information concernant l'état de santé de notre planète devrait être totalement libre. C'est le droit de chacun d'entre nous de connaître les plaies du monde dans lequel nous vivons. Nous ne pourrons pas correctement protéger la Terre si nous ne sommes pas libres d'en dénoncer les ennemis.
Une presse libre est essentielle pour mieux protéger la nature. Voilà pourquoi Reporters sans frontières s'est associée à l'agence Minden Pictures pour vous proposer cet album. Ces 100 photographies témoignent de la beauté de notre planète. Elles racontent un monde palpitant de vie, mais délicat et fragile. Ces images témoignent de sa vitalité et de sa force, mais aussi de sa vulnérabilité face aux agressions dont il est victime.
En achetant cet album, vous aidez les journalistes à mieux défendre la planète. Vous contribuez à dénoncer la censure qui règne encore sur les problèmes environnementaux. Et vous soutenez Reporters sans frontières dans son action pour un monde toujours plus libre. ■

Jean-François Julliard
Secrétaire général
de Reporters sans frontières

SIGMA

Dunes enneigées et ciel d'azur. Colorado

OUR WORLD*

Nathan Welton est né en 1977 aux Etats-Unis. Il parcourt le monde en suivants des sportifs engagés dans des raids d'aventure ou des randonnées équestres. Présent dans la publicité, les journaux et les magazines, ses photographies ont été plusieurs fois récompensées. Son studio de photographie de mariage «Dreamtime Images» est connu internationalement.

Objectif : Sigma 10-20mm F3,5 DC HSM EX – F6,3 au 1/640 sec

(*NOTRE MONDE)
vu par Nathan Welton avec un objectif Sigma

En quelques heures, la tempête a recouvert les dunes d'un blanc manteau de neige. La beauté saisissante du ciel au bleu profond et des dunes immaculées que parcourent les promeneurs, est merveilleusement rendue par le zoom Sigma 10-20mm F3,5 DC HSM EX du photographe. Avec une ouverture maximale constante de F3,5 à toutes les focales, ses perspectives grandes angulaires permettent des réaliser des cadrages époustouflants. L'utilisation de verres spéciaux à faible dispersion (SLD), à très faible dispersion (ELD) et d'éléments asphériques assurent une excellente correction des diverses aberrations et une très haute qualité d'image. Le traitement des lentilles «Super Multi Coating» réduit le «flare» et les lumières diffuses. La motorisation HSM (Hyper Sonic Motor) assure une mise au point rapide et silencieuse.

DC POUR NUMERIQUE

NOUVEAU
SIGMA
● 10-20mm F3,5 DC HSM EX
Fourni avec pare-soleil et étui
*Cet objectif ne doit pas être
utilisé avec un boîtier dont
le capteur est d'une taille
supérieure au format APS-C*

SIGMA 10-20mm F3,5 DC HSM EX

Le zoom super grand angle pour reflex numériques experts, avec ouverture constante de F3,5 à toutes les focales

pour tous renseignements : http://www.sigma-photo.fr, ou contactez :

France : SIGMA FRANCE S.A.S. - 2, Av. Pierre et Marie Curie - 59260 LILLE LEZENNES – Tél. 03 20 59 15 15 **Belgique** : SIGMA BENELUX BV - Tél. (015) 27 11 31 **Suisse** : OTT + WYSS AG . Tél. (062) 746 01 00
Canada : GENTEC International. Tél. (504) 353 0311 ou (905) 513 7733

SIGMA FRANCE S.A.S. RCS B 391604832

préface / preface

Nicolas Hulot
Président de la Fondation
Nicolas Hulot pour la Nature et l'Homme
President of The Nicolas Hulot
Foundation for Nature and Mankind

LA LIBERTÉ EN PARTAGE

**Ne sommes-nous pas entrés dans une ère de double schizophrénie ?
Et d'abord, celle de scier la branche sur laquelle nous sommes assis ?**

Avons-nous oublié quelle incroyable combinaison de facteurs il a fallu pour que la vie puisse s'épanouir sur Terre ? Cette combinaison de facteurs revient à la même probabilité qu'il y aurait de prendre une boîte avec des lettres d'imprimerie, de la jeter par terre et que les lettres s'agencent pour écrire au sol l'article 1 de la Déclaration universelle des droits de l'homme. Preuve en est, en dépit des gigantesques moyens d'investigation de l'univers, nous ne possédons pour l'instant pas le moindre indice de vie ailleurs. Conclusion, contrairement à ce que l'on pense, la vie n'est pas la norme mais l'exception. Et nous sommes la partie consciente de cette exception. A nous de faire bon usage de ce privilège.
L'enjeu est en effet immense car notre sort n'est pas distinct de celui du reste du vivant. Nous sommes sur le même radeau, et si ce radeau est précipité dans l'abîme, c'est l'ensemble des êtres vivants qui le sera aussi. ▶▶

A SHARED FREEDOM

Have we entered an era of advanced schizophrenia, in which our first act is to saw off the branch on that is supporting us?

Have we forgotten what an incredible combination of factors was necessary for life to develop on Earth? One that had the same degree of probability as taking a box full of block letters, throwing them on the ground and finding that they spell out Article One of the Universal Declaration of Human Rights ?
This is proved by the fact that, despite all of our colossal means of probing the universe, we have not discovered a shred of evidence that life exists anywhere else. Contrary to what was supposed, life is the exception, not the norm and we are the conscious component of that exception. It is up to us to put this privilege to good use. An awful lot is at stake inasmuch as our fate is no different from that of all the other life forms. We are all on the same life raft and if that raft sinks into the abyss, all living things will all go down with it. It is not technology or industry, no matter how sophisticated, that provides the human community with the goods and services necessary for its survival – food, medicine, the raw materials for handicrafts and industry and above all the planet's very equilibrium. Nature is the sole provider of the finite world we share.
▶▶

Christian Ziegler / Minden Pictures

Vue aérienne de l'île Barro Colorado, région du Canal. Panama.
Aerial view of Barro Colorado Island, Canal Zone. Panama.

VIVRE ET TRAVAILLER ENSEMBLE

L'EAU
C'EST LA VIE

SALON
PLANÈTE
MODE D'EMPLOI

24>27
SEPTEMBRE | PORTE DE
VERSAILLES
PARIS

www.planetemodedemploi.fr

POUR VIVRE MIEUX

LE PÉTROLE,
ET APRÈS ?

CO₂

LE RÉCHAUFFEMENT
DE LA TERRE

NOURRIR 10 MILLIARDS
D'HOMMES

DE L'OR
DANS NOS DÉCHETS

TF1   Ushuaïa TV   FONDATION NICOLAS HULOT POUR LA NATURE ET L'HOMME

▶▶ Ce n'est ni la technique, ni l'industrie, si élaborées soient-elles, qui procurent à la communauté des hommes les biens et les services nécessaires à sa survie : l'alimentation, les médicaments, les matières premières de l'artisanat et de l'industrie, l'équilibre même de la planète... La nature est l'unique pourvoyeuse de ce monde fini que nous partageons. Or, une étude réalisée à la demande de l'ONU, le Millenium Assessment Report, a révélé en 2005 que 60 % de ces services écologiques sont en cours de dégradation. Nous sommes devenus une force tellurique au point de modifier en cinquante ans les écosystèmes de la planète plus vite qu'au cours de n'importe quelle autre période de l'histoire de l'humanité. Ces services, pourtant indispensables à la survie de l'humanité, n'ont pas pour autant de valeur marchande, ils ne sont pas comptabilisés alors qu'ils représentent un patrimoine à la fois vital et capital essentiel. Réduire la biodiversité, c'est se priver de l'indispensable.

Et comble de schizophrénie, celles et ceux qui aujourd'hui témoignent par leurs photos ou leurs écrits des atteintes à ce patrimoine commun de l'humanité sont parfois harcelés, menacés, voire emprisonnés, alors même qu'ils nous alertent pour mieux nous sauver. La liberté de préserver notre environnement et la liberté de la presse ne font qu'un. Pour avoir posé mes premiers pas de reporter photo au pays de l'apartheid, j'ai pu prendre conscience à la fois de leur unicité et de leur force pour faire avancer les justes causes.

Puissent ces photos nous convaincre de la nécessité de faire alliance avec la nature et avec les hommes. Souvent nous regardons sans voir, nous nous contentons du spectaculaire. Il faut probablement un long parcours initiatique, semé de grands chocs émotionnels, de rencontres bouleversantes qui, petit à petit, exercent la réceptivité, libèrent la sensibilité, pour enfin accéder à la vue. Les choses insignifiantes deviennent alors remarquables et soudain tout vous parle. A dater de ce jour, vous entrez en conversation avec l'univers du vivant et ce dialogue conduit à des plages de bonheur intense, aux délices de la plus belle correspondance intime. ▶▶

Pete Oxford / Minden Pictures

Requins renards à gros yeux [Alopias superciliosus] et requins renards pélagiques [Alopias pelagicus]. Village de pêcheurs de Santa Rosa, péninsule Santa Elena, Equateur.
Bigeye Thresher Shark [Alopias superciliosus] and Pelagic Thresher Shark [Alopias pelagicus]. Santa Rosa Fishing Village, Santa Elena Peninsula, Ecuador.

Pipeline pétrolier traversant la taïga. Alaska.
Oil pipeline crossing taiga. Alaska.

Gerry Ellis / Minden Pictures

▶▶ A study carried out in 2005 at the UN's request, the Millennium Assessment Report, revealed that 60 percent of these ecological services are deteriorating. We have now inflicted so much environmental damage on our planet that we have modified its ecosystems more in 50 years than at any other time in the history of humankind. These services are essential to humanity's survival yet they are assigned no market value and are not considered in our accounting. They nonetheless constitute a patrimony and a capital that are literally vital. By reducing biodiversity we are depriving ourselves of what is essential. Is it not the height of schizophrenia to harass, threaten, and even imprison the very people whose photos and reports testify to the attacks on humanity's common patrimony even though they are trying to alert us to the dangers and help us to save ourselves? The freedom to protect our environment and freedom of the press are one and the same thing. As someone who first worked as a photo reporter in the land of apartheid, I came to understand the indivisibility of these freedoms and their power to advance just causes. ▶▶

☀ îledeFrance

La Région présente

27ᴱ FESTIVAL INTERNATIONAL DU FILM D'ENVIRONNEMENT

du 18 au 24 novembre 2009

Entrée gratuite

Cinéma La Pagode, Paris 7ᵉ
www.festivalenvironnement.com

Pete Oxford / Minden Pictures

Mitsuaki Iwago / Minden Pictures

Forêt tropicale humide de San Isidro.
Versant ouest des Andes, Equateur.
San Isidro Cloud Forest. Western slope
of the Andes Mountains, Ecuador.

Lionceau et sa mère [Panthera leo].
Parc national Serengeti, Tanzanie.
Lioness [Panthera leo] and her cub.
Serengeti National Park, Tanzania.

▶▶ Ces pages sont d'abord un hymne au vivant, un flamboyant voyage au cœur des écosystèmes. Mais que deviendront ces merveilles ne serait-ce que dans dix ou vingt ans ?

Exerçons sur cette Terre une vigilance globale et non une domination aveugle. Le défi d'un monde viable est une formidable occasion d'ériger trois nouvelles formes de solidarité : solidarité dans l'espace ici et ailleurs, solidarité avec le futur et solidarité avec l'ensemble des êtres vivants dont nous sommes.

Puisse, une fois encore, l'émerveillement, qui est une force de commencement, susciter le respect et, surtout, la conscience que nous pouvons agir pour aller de gré vers une société de modération et de partage pour éviter d'aller de force vers une société de privation. Gardons à l'esprit que le corollaire absolu de l'éthique tant annoncé au XXIᵉ siècle est le respect de la vie sous toutes ses formes. Un principe que chacun doit rendre intangible pour éviter d'être accusé devant l'histoire de non-assistance à planète et à humanité en danger.

L'homme qui dégageait à parité génie et bonté, le navigateur saharien Théodore Monod disait : « L'utopie n'est pas l'irréalisable mais l'irréalisé. » Puissions-nous collectivement lui donner raison ! ∎

Nicolas Hulot
Président de la Fondation Nicolas Hulot
pour la Nature et l'Homme
www.fnh.org

▶▶ May these photos help to convince human beings to become allies with nature and with each other. We often look without seeing, we often settle for the spectacle. We probably need a long journey of initiation, one interspersed with jolting emotional shocks and disturbing encounters to gradually quicken our responsiveness, liberate our sensitivity and ultimately learn to see. When even insignificant things become remarkable, suddenly everything speaks to us. From that day, we would start to converse with the universe of the living and this dialogue would take us to levels of intense happiness, to the joys of the most unimaginably intimate correspondence. These pages are above all a hymn to the living, a dazzling journey into the heart of ecosystems. But what will have become of these marvels in as few as 10 or 20 years from now?

Let us then exercise global vigilance, not blind domination, over this planet. The challenge of a viable world offers a fantastic opportunity to construct three new forms of solidarity – solidarity in space, here and everywhere, solidarity with the future, and solidarity with all the living beings of which we are part. One may wonder - which opens doors - give way to respect and above all awareness that we can take action in order to head willingly towards a society of moderation and sharing, and thereby avoid rushing headlong towards a society of deprivation. Let us not forget that the essential corollary of the much-heralded 21st century ethic is respect for life in all its forms. Every one of us must make this an inviolable principle to avoid being accused before history of failing to help our planet and humankind in their hour of danger. Saharan explorer Théodore Monod, a man who exuded goodness and genius in equal measure, said: "Utopia is not unachievable, it is unachieved." Let us collectively prove him right ! ∎

Nicolas Hulot
President of The Nicolas Hulot
Foundation for Nature and Mankind
www.fnh.org

LA CORRECTION DE L'ERREUR EST HUMAINE

LE PROBLÈME ENVIRONNEMENTAL N'EST PAS SEULEMENT UNE HISTOIRE DE RÉCHAUFFEMENT CLIMATIQUE. C'EST UN PROBLÈME À TIROIRS. ET CES TIROIRS CONTIENNENT EN VRAC, LES QUESTIONS DE LA MAÎTRISE DE L'ÉNERGIE, DE L'APPAUVRISSEMENT DE LA BIODIVERSITÉ, DE LA SÉCURITÉ ALIMENTAIRE MONDIALE, DU DEVENIR SOCIAL ET ÉCONOMIQUE DE NOTRE CIVILISATION ET PLUS GÉNÉRALEMENT, DE LA SURVIE DE L'ESPÈCE HUMAINE. CES QUESTIONS, ON PEUT SE LES POSER DE DEUX FAÇONS. SOIT ON SE DEMANDE : COMMENT EN EST-ON ARRIVÉ LÀ ? SOIT ON SE DEMANDE : COMMENT FAIT-ON POUR EN SORTIR ? IL EST ÉVIDEMMENT BEAUCOUP PLUS FACILE DE RÉPONDRE À LA PREMIÈRE DE CES DEUX QUESTIONS. MAIS C'EST AUSSI BEAUCOUP MOINS CONSTRUCTIF. ALORS, COMMENT FAIT-ON POUR EN SORTIR ? PARCE QUE SI NOUS AVONS RÉUSSI À ENTRER DANS L'IMPASSE, NOUS AVONS TOUTES LES RAISONS DE PENSER, QUE NOUS RÉUSSIRONS À EN SORTIR. LES SOLUTIONS EXISTENT. D'ACCORD, ELLES NE SONT PAS FACILES À METTRE EN ŒUVRE. OUI, ELLES SUPPOSENT DE REVOIR TOTALEMENT NOTRE MODÈLE ÉCONOMIQUE, NOS HABITUDES DE CONSOMMATION, NOTRE SYSTÈME DE VALEURS, NOTRE LIEN AVEC LA NATURE. CELA NE VEUT PAS DIRE, VIVRE MOINS BIEN. CELA VEUT SANS DOUTE DIRE : VIVRE AUTREMENT. CELA NE VEUT PAS DIRE CESSER D'ÉVOLUER. CELA VEUT SANS DOUTE DIRE : ÉVOLUER AUTREMENT. ÉVOLUER EN TENANT COMPTE DE NOS ERREURS. ÉVOLUER EN LES CORRIGEANT. ÉVOLUER EN ÉVITANT D'EN COMMETTRE D'AUTRES. ÉVOLUER ENSEMBLE. ÉVOLUER ENCORE. ÉVOLUER TOUJOURS. ÉVOLUER VRAIMENT.

WWW.FNH.ORG

ÉVOLUTION : CHAPITRE 2

N/MPP

le groupe

En France

et plus de 100 pays

Parce qu'il n'y a pas de liberté
d'expression sans liberté de diffusion,
le groupe Nmpp assure et promeut
la distribution et la commercialisation
de la presse dans toute sa diversité.

Liberté d'expression et de diffusion

Le groupe Nmpp distribue plus de 100 quotidiens et 3 600 magazines français et étrangers, en France et dans plus de 100 pays. Au service de la vitalité de la presse écrite pour l'ensemble de la filière, le groupe a lancé en 2007 un vaste projet stratégique, Défi 2010, visant à reconquérir les ventes. Ce plan est avant tout un plan de développement en relais des efforts de la dynamique des éditeurs de presse. Toute cette démarche vise à rapprocher la presse de ses lecteurs.

Le groupe Nmpp, les dépositaires et les diffuseurs de presse accompagnent depuis plus de 15 ans Reporters sans frontières pour la défense du droit à l'information dans le monde en distribuant gracieusement les 110 000 exemplaires de l'album « 100 photos de Nature pour la liberté de la presse ».

> www.nmpp.fr

Réalisation : LIGARISK•AGENCE - Crédits photo : Julie Guiches/Picture Tank

JANE GOODALL

Propos recueillis par Elena Adam

Primatologue de renom international, Jane Goodall est aussi Messager de la Paix pour les Nations Unies. Ses recherches sur les chimpanzés en liberté ont permis de redéfinir la notion d'humanité, et son enracinement profond avec la nature et le monde animal.

LE MONDE PEUT CHANGER EN UNE NUIT

Je me souviens de cette première nuit comme si c'était hier. Je me revois assise là, sur ce promontoire rocheux, la vallée en contrebas, le ciel au-dessus de ma tête. Le chant des oiseaux, l'odeur d'herbes desséchées au soleil, celle de la terre aride, le parfum lourd de fruits trop mûrs. J'étais à ma place, chez moi.

Avant mon arrivée, les chimpanzés n'avaient jamais croisé de primates blancs de mon espèce. Timides, ils fuyaient à ma vue. David Greybeard fut le premier chimpanzé à s'enhardir, m'autorisant parfois à le suivre. Je n'oublierai jamais le jour où, assise auprès de lui dans la forêt, alors qu'il faisait la sieste, j'ai cueilli un fruit bien rouge. Je le lui ai tendu, il a détourné la tête. J'ai rapproché ma main. Il s'est tourné vers moi, m'a regardé droit dans les yeux. Il a pris le fruit et l'a laissé tomber. Puis il m'a serré la main de ses doigts chauds et soyeux. Son message était clair : « J'apprécie ton geste, mais je n'ai pas envie de ce fruit. » Nous avions communiqué. Pour la première fois, un échange avait eu lieu entre un être humain et un primate dans une langue très ancienne, un langage d'avant la parole. A cet instant précis nos deux mondes s'étaient rejoints. Je commençais à entrer dans son univers.

C'était en 1960, j'avais ving-six ans. Je débutais ma recherche en Tanzanie, à Gombé, au-dessus du lac Tanganyka. Je m'immergeais dans l'étude de leur vie en liberté. Aujourd'hui, il ne fait plus de doute que nos ressemblances avec les chimpanzés sont biologiques, émotionnelles et intellectuelles. Nous appartenons à une même famille et nous pouvons en être fiers. Pourtant, des millions d'individus ignorent encore à quel point, nous, les êtres humains, sommes proches du monde animal, que nous en faisons partie intégrante. ▶▶

Interview by Elena Adam

World acclaimed primatologist, Jane Goodall is also a United Nations Messenger of Peace. Her research on wild chimpanzees helped redefine the notion of mankind, and its deeply rooted connection with nature and the animal kingdom.

THE WORLD CAN CHANGE OVERNIGHT

I remember that first night in Gombe as if it were yesterday. I recall sitting on a rock in the rugged mountainous country, looking out over the valley and up into the blue sky. I heard a variety of birds sing, as I breathed in the smell of sun-dried grass and dry earth, and the heavy scent of overripe fruit. I found myself thinking, "This is where I belong." Before I arrived, the shy chimpanzees fled, they had never seen a white ape like me before. Timid, they would flee when they saw me. In time, they learned to accept my presence. David Greybeard, the first chimpanzee to lose his fear would sometimes allow me to follow him. I shall never forget the day when I sat near him as he rested on the forest floor. A ripe red fruit lay on the ground, and when I held it out to him on the palm of my hand, he turned his head away. I moved my hand closer. Turning towards me, he looked right into my eyes. He took and dropped the fruit, then gently pressed my hand with his soft, warm fingers. The message was clear: "I don't want the fruit, but I understand your gesture." We – the ape and the human – had communicated in a very old language that predates words. In that moment, we had bridged our two worlds. I had taken a step into his universe. In 1960, I was twenty-six years old, and in Gombe, above Lake Tanganyika, I was submerging myself in learning how chimpanzees lived in the wild. Nowadays, we are aware of the close biological, emotional and intellectual relationship between humans and chimpanzees. We can be proud that we belong to the same animal family. Yet millions of people still do not realize the depth of our kinship with the rest of the animal kingdom, of which we are an integral part. Those years in Gombe helped to shape the person I am today. It was there that I experienced the peace in my soul that sustains me even now. I left the research base after attending a conference, "Understanding Chimpanzees", in 1986. That day, I realized the full extent of the chimpanzees plight and understood how quickly their forests across Africa were being destroyed. I had gone there as a scientist; I left as an activist. How could I stay in Gombe as if nothing were happening? Since then, I have been travelling at least 300 days a year, pleading their cause as best I can. A century ago, there were close to 2 million chimpanzees. Today, there are less than 200,000 left hunted to supply the live animal trade or for food. They are being horribly abused in the name of medical research. ▶▶

LA DIFFERENCE
C'EST
L'INDEPENDANCE

Nicolas Demorand
Le Sept Dix 7h-10h
franceinter.com

France inter

Femelle chimpanzé [Pan troglodytes]
dans un nid de jour. Parc national
de Gombé Stream, Tanzanie.
Chimpanzee [Pan troglodytes] in a day nest.
Gombe Stream National Park, Tanzania.

Droite / Right

Jane Goodall et Dale Peterson.
Parc national de Gombé Stream, Tanzanie.
Jane Goodall and Dale Peterson.
Gombe Stream National Park, Tanzania.

Gerry Ellis / Minden Pictures

▸▸ Ce sont ces années-là, à Gombé, qui m'ont faite telle que je suis aujourd'hui. J'y ai connu la paix de l'âme qui me soutient encore à ce jour. J'ai quitté la station de recherche en 1986, après un colloque intitulé : "Comprendre les chimpanzés". J'étais venue en scientifique, j'en ai émergé militante. Ce jour-là, j'ai pris la mesure de la souffrance des chimpanzés et réalisé la vitesse de la destruction de leurs forêts à travers le continent africain. Comment rester à Gombé comme si de rien n'était ? Depuis, je voyage près de trois cents jours par an pour plaider leur cause. Les chimpanzés étaient près de deux millions il y a un siècle, ils sont à peine deux cents mille aujourd'hui. Chassés par des trafiquants d'animaux, pour le commerce ou pour leur chair. Arrachés à leurs forêts natales, convoyés dans des conditions abominables, suppliciés au nom de la recherche médicale.

Et il n'y a pas que les animaux sauvages et la nature qui souffrent sous le joug des hommes. L'humanité souffre elle aussi. Des millions d'individus vivent dans une pauvreté intolérable, des millions d'êtres humains meurent de faim. Les épidémies font rage, les "réfugiés de l'environnement" se dispersent à travers le monde. Il serait facile de se laisser submerger par le désespoir.

En dépit de tout cela, j'ai quatre raisons d'espérer. La première est notre cerveau extraordinaire. Notre intelligence. Nous sommes une espèce qui sait résoudre les problèmes.

Ma deuxième raison d'espérer est que la nature est extraordinairement résiliente. Il y a quelques années, je me suis rendue à Nagasaki. Les scientifiques avaient prédit que rien n'y pousserait pendant trente ans. Un jeune arbre a miraculeusement survécu à la bombe atomique. Craquelé et fissuré, tout noir à l'intérieur. Mais chaque année, ses feuilles repoussent. J'en garde toujours une avec moi, comme un symbole d'espoir.

Ma troisième raison d'espérer est la nature si pleine de ressources de l'esprit humain. Partout, je rencontre des individus exceptionnels, mes véritables héros. Ils ont le courage de leurs convictions et représentent les vraies valeurs humaines, l'honnêteté, le courage et la détermination. L'immense énergie, l'enthousiasme, l'engagement d'un nombre grandissant de jeunes* partout dans le monde, sont ma quatrième raison d'espérer. Ils changent les attitudes, sans armes et sans explosifs. Par le respect, la connaissance, le dialogue. Le respect de toutes les formes de vie et de tous les hommes, quels que soient leur culture, leur pays ou leur religion.

N'oubliez jamais que chaque individu compte, que chacun a un rôle à jouer. Nous nous sentons impuissants devant l'immensité des problèmes de notre époque : « Je ne suis qu'un individu isolé parmi plus de six milliards ! » Mais les plus infimes actions, multipliées par six milliards, font une sacrée différence.

Si chacun de ces milliards d'hommes décide d'agir, le monde peut changer en une nuit. ■

Jane Goodall PhD, DBE
Fondatrice de l'Institut Jane Goodall
Messager de la Paix des Nations Unies
www.janegoodall.fr / Bournemouth, UK

*C'est pour cette raison que j'ai fondé Roots & Shoots, un mouvement qui encourage les jeunes à agir pour un monde meilleur. Ils engagent toute leur énergie dans des projets pour sauver des hommes, des animaux et l'environnement. En Tanzanie, ils étaient dix-huit lycéens en 1991. Ils sont aujourd'hui plus de sept mille cinq cents groupes, actifs dans plus de quatre-vingts pays, de la maternelle à l'université. / www.rootsandshoots.org

▸▸ Yet, it is not just wildlife and the wilderness that are suffering at human hands. People are too. Millions live in crippling poverty, millions of people are dying of hunger, epidemics rage, "environmental refugees" are scattered around the world. It is easy to be overwhelmed by feelings of hopelessness. Nonetheless, I do have four reasons for hope. My first reason is the amazing human brain. Our intelligence. We are a problem-solving species. My second reason for hope is nature's extraordinary resiliency if we give her a chance. Some years ago I visited Nagasaki. Scientists had predicted that nothing could grow there for at least 30 years. But one sapling had miraculously survived the atomic bomb. Today it is a large tree, with great cracks and fissures, all black inside, yet it still produces leaves. I always carry one of those leaves with me as a powerful symbol of hope. My third reason for hope lies in the resourceful nature of the human spirit. As I travel around the world I meet so many incredible human beings whom I consider heroes. They have the courage of their convictions, and exemplify integrity, courage, and determination. My fourth reason for hope lies in the tremendous energy, enthusiasm and commitment of a growing number of young people* around the world. They are changing attitudes: not through guns and bombs, but through respect, knowledge and dialogue. They value all forms of life and all people regardless of their culture, country or religion. Never forget that every individual matters and has a role to play. We feel helpless in the face of the immense problems of our time. Surely, we say, what I do each day cannot matter – I am but one individual in a world of more than 6 billion human souls! Yet even the smallest actions, multiplied 6 billion times, can make a vast difference. If every one of those billion people resolved to act, the world would change overnight. ■

Jane Goodall PhD, DBE
Founder of The Jane Goodall Institute
United Nations Messenger of Peace
www.janegoodall.org / Bournemouth, UK

*This is why I started the Roots & Shoots movement that encourages youth to take action to make the world a better place. They tackle hands-on projects on behalf of people, animals and the environment. It started with 18 high school students in Tanzania in l991. Now there are over 7,500 active groups in more than 80 countries, and members range from pre-school through university. / www.rootsandshoots.org

La **Fnac** sait que son rôle de médiateur entre le public
et la création réunit deux composantes essentielles de
la démocratie vivante : la liberté d'expression et le libre
arbitre du citoyen.

En s'associant activement à la mission de
Reporters sans Frontières, la **Fnac** exprime non seulement
sa solidarité pour une juste cause, mais aussi la fidélité
à ses engagements.

Agitateur de curiosité

MINDEN PICTURES

Depuis plus de vingt ans, les photojournalistes réunis au sein de l'agence californienne Minden Pictures, l'une des plus prestigieuses au monde, posent un autre regard sur notre monde. Leur champ d'investigation ? L'un des enjeux majeurs du XXIe siècle : la nature, et la relation subtile, bienveillante, mais aussi conflictuelle, que les hommes entretiennent avec elle. Leur mission : donner à voir et à s'émouvoir, faire comprendre et partager. Vite. Il y va de notre destinée d'êtres humains à la surface du globe. Mais transmettre, c'est continuer d'espérer. L'homme et la Terre n'ont pas dit leur dernier mot.

Minden Pictures
est représentée en France par Joël Halioua Editorial Agency
www.jheditorial.com

For over twenty years the award-winning collection of photojournalists represented by Minden Pictures, a California based agency recognized as the world's premium provider of wildlife and nature photos, has covered one of the most crucial topics of the 21st century, the close – and at times conflicting – interactions between man and the natural world. The photographers' goal is to foster a better understanding of the complex issues at stake and to share their unparalleled vision. Their extraordinary reportages carefully balance information, education and emotion while reaching a large audience through prestigious publications around the world.

Minden Pictures
558 Main Street
Watsonville, CA 95076 USA
www.mindenpictures.com

DARREN ALMOND *BRITAIN*

CHRISTOPHER ANDERSON *CANADA*

SAMMY BALOJI *DEMOCRATIC REPUBLIC OF CONGO*

EDWARD BURTYNSKY *CANADA*

ANDREAS GURSKY *GERMANY*

NAOYA HATAKEYAMA *JAPAN*

NADAV KANDER *BRITAIN*

ED KASHI *USA*

ABBAS KOWSARI *IRAN*

YAO LU *CHINA*

EDGAR MARTINS *PORTUGAL*

CHRIS STEELE–PERKINS *BRITAIN*

The Prix Pictet Shortlist 2009

The independent jury has completed its review of work from over 300 leading photographers, from five continents, who were nominated for the Prix Pictet 2009.

They submitted a remarkable variety of images on the theme of earth and sustainability.

Congratulations to the twelve photographers who have been shortlisted.

The winner of this year's CHF100,000 Prix Pictet will be announced by Kofi Annan at the Passage de Retz in Paris on 22 October 2009, followed by an exhibition of shortlisted work at the same venue from 22 October to 24 November 2009.

One of the shortlisted photographers will be invited to complete a commission to record a sustainability project supported by Pictet & Cie.

The exhibition will then begin a world tour which this year included exhibitions in Dubai, Eindhoven, Thessaloniki, Dresden, Geneva, Hong Kong and London.

The work of the shortlisted photographers can be viewed online at www.prixpictet.com

For more information:
The Prix Pictet Secretariat
Candlestar, 8 Hammersmith
Broadway, London W6 7AL

E. pictet@candlestar.co.uk
T. +44 (0) 20 8741 6025

Prix Pictet in partnership with
the Financial Times

MERCI

THANK YOU

Ils vont en des lieux que peu d'entre nous connaissent et bien moins encore voudraient découvrir. Certains n'en reviennent jamais : les photojournalistes de nature partagent avec les reporters de guerre le risque de mortalité le plus élevé de la profession. Mais leurs images se font rarement l'écho des aléas ou des souffrances qu'ils endurent. Animés par une vision singulière, ils rapportent de chacun de leurs voyages des fragments de notre planète, qui remettent en question et réorientent nos points de vue sur un monde en perpétuelle évolution.

Les images présentées dans ce portfolio sont les fruits de leur quête incessante, de leur inextinguible passion, de leur engagement personnel. La qualité de leurs reportages, reconnue par nombre de publications internationales, a été récompensée par autant de prix prestigieux (World Press Photo, Picture of the Year, Photographer of the Year) décernés par la profession au fil des ans.

Plus important à nos yeux, cette entreprise de documentaristes inspirés est une formidable force lorsqu'il s'agit de diffuser des connaissances nouvelles et de provoquer l'éveil des consciences. Sans leurs reportages, l'urgence fondamentale de thèmes aussi brûlants que le dérèglement climatique, la conservation des espaces naturels, la protection et la préservation de la biodiversité, n'auraient jamais été connus du grand public. Et sans cette vision commune, le chœur montant qui réclame aujourd'hui un avenir durable pour tous ne serait encore qu'un murmure.

Solidaires de ces photographes de talent, nous avons toujours été convaincus que l'éducation et l'information sont les pierres de touche de toutes les libertés. Leur contribution collective au présent album est une preuve de plus de leur engagement dans leur mission.

Nous sommes fiers de leur action, et souhaitons ici remercier Theo Allofs, Ingo Arndt, Fred Bavendam, Jim Brandenburg, Matthias Breiter, Carr Clifton, Tui De Roy, Eric Dietrich, Jasper Doest, Richard Du Toit, John Eastcott, Gerry Ellis, Suzi Eszterhas, Katherine Feng, Michio Hoshino, Mitsuhiko Imamori, Mitsuaki Iwago, Albert Lleal, Thomas Mangelsen, Thomas Marent, Hiroya Minakuchi, Larry Minden, Mark Moffett, Yva Momatiuk, Colin Monteath, Piotr Naskrecki, Chris Newbert, Flip Nicklin, Pete Oxford, Michael Quinton, Cyril Ruoso, John Watkins, Konrad Wothe, Norbert Wu, Xi Zhinong et Christian Ziegler d'avoir partagé une part de leur monde avec nous.

L'équipe de Minden Pictures

They go to places few have ever heard of, where even fewer would like to go. Some never come back: nature photojournalists share with war reporters the highest rate of casualties of their profession. But rarely do their images tell of the hardship and suffering they may endure. Fueled by a singular vision, they return time and again with glimpses of our planet that challenge and shape our perspective of a fast changing world. The images presented in this portfolio are the fruits of their relentless quest, their unabated passion and personal commitment. The quality of their work has been acknowledged by numerous international publications and prestigious professional awards (World Press Photo, Picture of the Year, Photographer of the Year) over the years.

Most importantly, such spirited documentary work is a powerful force to increase knowledge and awareness. Without their reportages, the compelling urgency of such topics as climate change, conservation of natural habitats, preservation and protection of biodiversity, would never have reached the public eye. Moreover, without their collective vision, the rising chorus demanding a sustainable future would be but a whisper.

We, alongside these talented photographers, have always believed that education and information are the true foundations for all kind of freedoms. Their collective contribution to this album is yet another testimony to their dedication to their mission.

We are proud of their work, and we wish to thank Theo Allofs, Ingo Arndt, Fred Bavendam, Jim Brandenburg, Matthias Breiter, Carr Clifton, Tui De Roy, Eric Dietrich, Jasper Doest, Richard Du Toit, John Eastcott, Gerry Ellis, Suzi Eszterhas, Katherine Feng, Michio Hoshino, Mitsuhiko Imamori, Mitsuaki Iwago, Albert Lleal, Thomas Mangelsen, Thomas Marent, Hiroya Minakuchi, Larry Minden, Mark Moffett, Yva Momatiuk, Colin Monteath, Piotr Naskrecki, Chris Newbert, Flip Nicklin, Pete Oxford, Michael Quinton, Cyril Ruoso, John Watkins, Konrad Wothe, Norbert Wu, Xi Zhinong and Christian Ziegler for sharing part of their world with us.

The team at Minden Pictures

ABONNEZ VOUS

À NOS 3 ALBUMS ANNUELS

POUR TOUT ABONNEMENT VOUS RECEVREZ, EN CADEAU,
LORS DE VOTRE PREMIER ENVOI,
LA CARTE 2009 SUR LE CLASSEMENT
DE LA LIBERTÉ DE LA PRESSE DANS LE MONDE.

vos 3 albums chez vous !
42 €
par an
(frais de port inclus)

LA LIBERTÉ DE LA PRESSE DANS LE MONDE EN 2009

COMPLÉTEZ VOTRE COLLECTION ET CONTINUEZ À PROTÉGER LA LIBERTÉ DE LA PRESSE

MERCI D'ÉCRIRE EN MAJUSCULES

▼ **BON DE COMMANDE**

OUI, JE COMMANDE LES ALBUMS PHOTOS SUIVANTS :

Album	Prix	Album	Prix
N°12 KLEIN	X 5,79 € =	H-S TOUR DE FRANCE	X 10,00 € =
N°13 Y.A. BERTRAND	X 6,00 € =	N°23 HARCOURT	X 8,90 € =
N°14 BOUBAT	X 6,00 € =	N°24 CANNES	X 8,90 € =
N°15 PLISSON	X 6,00 € =	N°25 Y.A. BERTRAND	X 9,90 € =
N°16 NEWTON	X 8,00 € =	N°26 WEISS	X 9,90 € =
N°17 ISSERMANN	X 8,00 € =	N°27 RHEIMS	X 9,90 € =
N°18 DIEUZAIDE	X 8,00 € =	N°28 REZA	X 9,90 € =
N°19 SIEFF	X 8,00 € =	N°29 H&K	X 9,90 € =
N°20 CHARBONNIER	X 8,00 € =	N°30 McCULLIN	X 9,90 € =
N°21 CARON	X 8,90 € =	N°31 NATURE	X 9,90 € =
N°22 FOOTBALL	X 8,90 € =	———	———

TOTAL €

FRAIS DE PORT POUR LA FRANCE MÉTROPOLITAINE
1 ALBUM = 4,50 € / 2 À 4 ALBUMS = 6,00 € / 5 À 20 ALBUMS = 9,00 €   €

► ☐ **OUI, JE M'ABONNE POUR UN AN** 42 €

OUI, JE SOUHAITE OFFRIR LES ALBUMS PHOTOS SUIVANTS :

Album	Prix	Album	Prix
N°12 KLEIN	X 5,79 € =	H-S TOUR DE FRANCE	X 10,00 € =
N°13 Y.A. BERTRAND	X 6,00 € =	N°23 HARCOURT	X 8,90 € =
N°14 BOUBAT	X 6,00 € =	N°24 CANNES	X 8,90 € =
N°15 PLISSON	X 6,00 € =	N°25 Y.A. BERTRAND	X 9,90 € =
N°16 NEWTON	X 8,00 € =	N°26 WEISS	X 9,90 € =
N°17 ISSERMANN	X 8,00 € =	N°27 RHEIMS	X 9,90 € =
N°18 DIEUZAIDE	X 8,00 € =	N°28 REZA	X 9,90 € =
N°19 SIEFF	X 8,00 € =	N°29 H&K	X 9,90 € =
N°20 CHARBONNIER	X 8,00 € =	N°30 McCULLIN	X 9,90 € =
N°21 CARON	X 8,90 € =	N°31 NATURE	X 9,90 € =
N°22 FOOTBALL	X 8,90 € =	———	———

TOTAL €

FRAIS DE PORT POUR LA FRANCE MÉTROPOLITAINE
1 ALBUM = 4,50 € / 2 À 4 ALBUMS = 6,00 € / 5 À 20 ALBUMS = 9,00 €   €

► **TOTAL GÉNÉRAL** €

Merci de retourner votre règlement par chèque bancaire ou postal français (libellé à l'ordre de Reporters sans frontières) à : Reporters sans frontières, 47 rue Vivienne 75002 Paris

OUI, JE COMMANDE LES ALBUMS PHOTOS SUIVANTS :

Nom

Prénom

Profession

Adresse

Code postal

Ville

Téléphone

e-mail

MERCI DE LES ENVOYER DE MA PART À :

Nom

Prénom

Profession

Adresse

Code postal

Ville

Téléphone

e-mail

Conformément à la loi française informatique et libertés n°78-17 du 6 janvier 1978, vous disposez d'un droit d'opposition, d'accès, de modification, de rectification et de suppression des informations nominatives vous concernant en écrivant à Reporters sans frontières.

Tél. : 01 44 83 84 84
e-mail : publications@rsf.org

REPORTERS SANS FRONTIERES
POUR LA LIBERTÉ DE LA PRESSE

Tous les trois mois, le prêtre passe par le village de Santa Apolonia pour célébrer, d'un seul tenant, la messe et ses confessions ainsi que tous les baptêmes et mariages en suspens. Guatemala, 1982.
© Christian Poveda / AMC

Chaque saison, changez votre regard sur le monde

sixième édition / automne 2009 / en kiosque actuellement au prix de 5 euros

www.polkamagazine.com

Espace d'exposition: 12, rue Saint-Gilles, 75003 Paris
contact@polkamagazine.com / +33 (0) 6 76 80 97 05

SANS UNE PRESSE LIBRE
AUCUN COMBAT
NE PEUT ÊTRE ENTENDU

VOUS POUVEZ FAIRE
PLUS POUR NOUS AIDER

Soutenez nos actions en adhérant à l'association Reporters sans frontières ou en faisant un don. Votre engagement nous est précieux pour faire reculer le nombre des enlèvements, des incarcérations et des assassinats de journalistes dans le monde. Ensemble, continuons notre combat pour une presse libre.

▶ POUR FAIRE UN DON OU DEVENIR ADHÉRENT DE REPORTERS SANS FRONTIÈRES EN FRANCE

MES COORDONNÉES · ▼ BON DE SOUTIEN · MERCI D'ÉCRIRE EN MAJUSCULES

Nom

Prénom

Profession

Téléphone

Adresse

Code postal

Ville

e-mail

☐ J'ADHÈRE À L'ASSOCIATION REPORTERS SANS FRONTIÈRES

☐ **A - Cotisation normale 10 €**
Je recevrai le Courrier de Reporters sans frontières tous les 3 mois.

☐ **B - Cotisation abonnement 30 € ***
Je recevrai le Courrier de Reporters sans frontières tous les 3 mois et 6 affiches/an traitant de l'actualité de la liberté de la presse.

☐ **C - Cotisation de soutien (à partir de 50 € *)**...................... €
Je recevrai le Courrier de Reporters sans frontières tous les 3 mois et 6 affiches/an traitant de l'actualité de la liberté de la presse.

☐ **J'accepte de recevoir le Courrier de Reporters sans frontières uniquement en version électronique.**

☐ JE PRÉFÈRE VOUS FAIRE UN DON DE :

☐ 20 €*   ☐ 40 €*

☐ 60 €*   ☐ 80 €*   ☐ Autre.........................€

▶ Merci de retourner votre règlement par chèque bancaire ou postal français (libellé à l'ordre de Reporters sans frontières) à : Reporters sans frontières, 47 rue Vivienne 75002 Paris

* J'ai bien noté que je recevrai un reçu fiscal me permettant de déduire 66% de la valeur de mon don dans la limite de 20% de mes revenus imposables. Concernant l'adhésion, seule la somme au-dessus de 18 € est considérée comme un don.

En raison des délais de traitement, votre adhésion sera prise en compte le 1er du mois suivant la date de réception de votre règlement.

▶ POUR DEVENIR ADHÉRENT DE REPORTERS SANS FRONTIÈRES HORS FRANCE
TO BECOME A MEMBER OF REPORTERS WITHOUT BORDERS OUTSIDE FRANCE

Allemagne / Germany / Deutschland
Reporter ohne Grenzen
kontakt@reporter-ohne-grenzen.de
+49 30 615 85 85
www.reporter-ohne-grenzen.de

Autriche / Austria
Reporter ohne Grenzen
info@rog.at
+43 1 58 100 11
www.rog.at

Belgique / Belgium / België
Reporters sans frontières /
Reporters zonder Grenzen
rsf@rsf.be
+32 2 235 22 81

Canada
Reporters sans frontières /
Reporters Without Borders
rsfcanada@rsf.org
+1 514 521 4111
www.rsfcanada.org

Espagne / Spain / España
Reporteros Sin Fronteras
rsf@rsf-es.org
+34 91 522 4031
www.rsf.org

Italie / Italy / Italia
Reporter senza frontiere
silviabenedetti@hotmail.com

Suède / Sweden
Reportrar utan Gränser
reportrarutangranser@rsf.org
+46 8 618 93 36

Suisse / Switzerland
Reporters sans frontières
rsf-ch@bluewin.ch
+41 22 328 44 88
www.rsf-ch.ch

USA
Reporters Without Borders USA
Washington
clc@rsf.org
+1 202 256 5613
www.rsf.org

Conformément à la loi française informatique et libertés n°78-17 du 6 janvier 1978, vous disposez d'un droit d'opposition, d'accès, de modification, de rectification et de suppression des informations nominatives vous concernant en écrivant à Reporters sans frontières.

Tél. : 01 44 83 84 84
e-mail : publications@rsf.org

REPORTERS SANS FRONTIÈRES
POUR LA LIBERTÉ DE LA PRESSE

Complétez votre collection, commandez les anciens numéros de *Médias* à tarif préférentiel !

 1
 2
 3
 4
 5

 6
 7
 8
 9
 10

 11
 12
 13
 14
 15

 16
 17
 18
 19
 20

Bon de commande à renvoyer à *Médias* 16 rue Oberkampf - 75011 Paris

Je souhaite commander les numéros suivants : _____

Tarif par numéro : **3,50 €** (au lieu de 4,90 €) + frais de port (Dom-Tom, nous consulter)

Frais de port :	1 n°	2 n°	3 n°	4 n°	5 n°
France	3,02 €	3,92 €	5,16 €	5,16 €	5,16 €
Europe+Suisse	3,90 €	5,55 €	7,05 €	8,60 €	8,60 €
Etranger	4,30 €	6,85 €	10,50 €	12,65 €	12,65 €

Nombre de n° commandés : ..... x 3,50

Frais de port : ....

TOTAL : ....

Mes coordonnées :

Prénom : _____   Nom : _____

Adresse : _____

Code postal : _____ Ville : _____ Pays : _____

Je règle par : ☐ chèque bancaire

☐ carte bancaire :

n° ⊔⊔⊔⊔ ⊔⊔⊔⊔ ⊔⊔⊔⊔ ⊔⊔⊔⊔

Expire fin ⊔⊔⊔⊔ Cryptogramme ⊔⊔⊔

Date et signature

Planète cherche entreprise experte pour protéger ses ressources. Enthousiasme et créativité recherchés.

suez environnement

S'engager pour la planète est une belle entreprise.

Nos métiers

Protéger la ressource en eau en luttant contre son gaspillage et en assurant son assainissement avant retour au milieu naturel. Gérer les déchets en les recyclant, en les transformant en énergie renouvelable et en les éliminant.

Nos chiffres clés

65 400 collaborateurs sur 5 continents. Nous alimentons tous les jours 76 millions de personnes en eau potable, 44 millions en services d'assainissement et collectons les déchets de 51 millions de personnes.

nature
100 photos

Flip Nicklin
Page précédente / La fonte des glaces du pôle Nord fait peser une lourde menace sur les ours polaires [Ursus maritimus]. Canada.
Preceding spread / Ice melting at the North Pole poses a serious threat to Polar Bears [Ursus maritimus]. Canada.

Colin Monteath
Au moins dix espèces de manchots sont affectées par le dérèglement climatique. Pôle Sud, non loin du glacier Mertz, Antarctique de l'Est.
At least 10 species of penguins have been affected by climate change. South Pole, near Mertz Glacier, East Antarctica.

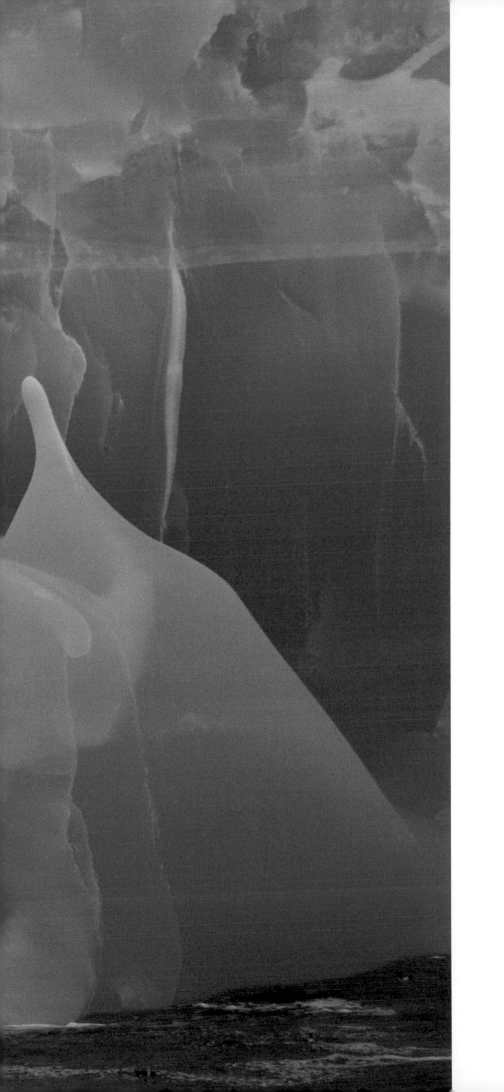

Eric Dietrich

Manchots à jugulaire [Pygoscelis antarctica] à la dérive sur un iceberg. Mer de Weddell, Antarctique.
Chinstrap Penguins [Pygoscelis antarctica] drifting on an iceberg. Weddell Sea, Antarctica.

Tui De Roy
Les manchots royaux [Aptenodytes patagonicus] doivent nager de plus en plus loin de leurs colonies pour se nourrir.
Ile Macquarie, archipel sub-antarctique, Australie.
King Penguins [Aptenodytes patagonicus] are forced to swim further and further away from their colonies to feed.
Macquarie Island, Sub-Antarctica, Australia.

Norbert Wu
Les manchots empereur [Aptenodytes forsteri] peuvent plonger jusqu'à six cents mètres et rester en apnée pendant vingt minutes. Antarctique.
Emperor Penguins [Aptenodytes forsteri] can dive to a depth of 600 metres and stay down for up to 20 minutes. Antarctica.

Tui De Roy

Haut / Un brise-glace longe la banquise peuplée de manchots Adélie [Pygoscelis adeliae].
Ile de la Possession, mer de Ross, Antarctique.
Bas / A Baily Head, un manchot à jugulaire [Pygoscelis antarctica]
inspecte l'un des rares visiteurs de l'île de la Déception. Shetland du Sud, Antarctique.
Top / An icebreaker passes an ice floe populated by Adelie Penguins [Pygoscelis adeliae].
Possession Island, Ross Sea, Antarctica.
Bottom / A Chinstrap Penguin [Pygoscelis antarctica] at Baily Head inspects
one of the rare visitors to Deception Island. South Shetland Islands, Antarctica.

Suzi Eszterhas
Manchot Adélie [Pygoscelis adeliae] sur un iceberg. Ile Paulet, Antarctique.
An Adelie Penguin [Pygoscelis adeliae] on an iceberg. Paulet Island, Antarctica.

Flip Nicklin
Une vue rarissime, celle des pattes d'un ours polaire [Ursus maritimus] sous l'eau. Baie de Wager, Canada.
A most unusual view of the paws of a Polar Bear [Ursus maritimus] underwater. Wager Bay, Canada.

Flip Nicklin
Sans la banquise, les ours polaires [Ursus maritimus] ne peuvent chasser les phoques dont ils se nourrissent. Baie de Wager, Canada.

Suzi Eszterhas

Un ourson polaire [Ursus maritimus] de trois à
quatre mois se blottit contre le corps de sa mère,
endormie par des scientifiques.
Parc national de Wapusk, Manitoba, Canada.
Three to four-month-old Polar Bear cub
[Ursus maritimus] cuddling against mother's body
while she is tranquilized by researchers.
Wapusk National Park, Manitoba, Canada.

Matthias Breiter
Chez les ours polaires [Ursus maritimus], les triplés sont rares. Parc national de Wapusk, Manitoba, Canada.
Triplets are rare among Polar Bears [Ursus maritimus]. Wapusk National Park, Manitoba, Canada.

Flip Nicklin
Curieux, un ours polaire [Ursus maritimus] adulte vient rendre visite au chauffeur d'un véhicule de tourisme. Churchill, Manitoba, Canada.
A curious adult Polar Bear [Ursus maritimus] inspects a tundra buggy driver. Churchill, Manitoba, Canada.

Mitsuaki Iwago

Pour la plupart des animaux, ici un macaque du Japon [Macaca fuscata], l'apprentissage commence avec le jeu. Japon.

For most animals, learning begins with play as is the case for this Japanese Macaque [Macaca fuscata]. Japan.

Hiroya Minakuchi
Naissance de l'art ? Un beluga
[Delphinapterus leucas] souffle un anneau
de bulles pour le plaisir.
Aquarium de Shimane, Japon.
Birth of art? A Beluga whale
[Delphinapterus leucas]
blowing bubble rings for fun.
Shimane Aquarium, Japan.

Mitsuaki Iwago

En dépit du moratoire sur la chasse à la baleine, les quotas des rorquals de Minke [Balaenoptera acutorostrata]
ont été réévalués à la hausse : cent individus en 2009 contre quarante l'année précédente. Antarctique.
Despite the moratorium on whale hunting, quotas for the Dwarf Minke Whale [Balaenoptera acutorostrata]
have increased from 40 in 2008 to 100 in 2009. Antarctica.

Flip Nicklin

Droite haut / La queue d'un cachalot [Physeter macrocephalus],
juste avant la plongée à mille cinq cents mètres. Nouvelle-Zélande.
Top right / The tail of a Sperm Whale [Physeter macrocephalus],
just before diving to a depth of 1,500 metres. New Zealand.

Norbert Wu
Chaque année, près de cent millions de requins, ici un requin de récif [Carcharhinus perezii], sont pêchés, menaçant les squales d'extinction et bouleversant ainsi l'équilibre naturel des océans. Caraïbes, Bahamas.
Around 100 million sharks, here a Caribbean Reef Shark [Carcharhinus perezii], are fished each year, threatening them with extinction and upsetting the natural balance of the oceans. Caribbean, Bahamas.

Gauche / Left

Chris Newbert

Haut gauche / Corail carnation [Dendronephthya sp], gorgones [Subergorgia sp] et poissons-miroir [Parapriacanthus ransonneti]. Mer Rouge, Egypte.
Top left / Soft Coral [Dendronephthya sp], Sea Fan [Subergorgia sp] and Glassfish [Parapriacanthus ransonneti]. Red Sea, Egypt.

Milieu gauche / Récif de corail tabulaire [Acropora sp] et poissons-miroir [Parapriacanthus ransonneti]. Mer Rouge, Egypte.
Centre left / Reef with Table Coral [Acropora sp] and Glassfish [Parapriacanthus ransonneti]. Red Sea, Egypt.

Bas gauche / Détail des bras d'une gorgone [Melithaea sp]. Grande barrière de corail. Australie.
Bottom left / Detail of the curled arms of a Sea Fan [Melithaea sp]. Great Barrier Reef, Australia.

Droite / Right

Fred Bavendam

L'augmentation de la température des océans risque de faire disparaître tous les récifs coralliens du globe, et avec eux, une incroyable diversité d'êtres vivants. Ile de Bunaken, Nord Sulawesi, Indonésie.
Ocean temperature increase may kill off the world's coral reefs and, with them, their incredible biodiversity. Bunaken Island, North Sulawesi, Indonesia.

Fred Bavendam
Les coraux, ici corail massif [Pavona clavus], sont l'une des formes de vie les plus anciennes de la planète. Baie de Milne, Papouasie Nouvelle-Guinée.
Corals, here Leaf Coral [Pavona clavus] are among our planet's oldest life forms. Milne Bay, Papua New Guinea.

Flip Nicklin
Très convoités par les parcs d'attraction, les dauphins tachetés de l'Atlantique [Stenella frontalis] sont victimes de leur popularité. Bahamas.
A common attraction in amusement parks, Atlantic Spotted Dolphins [Stenella frontalis] are victims of their own popularity. Bahamas.

Jasper Doest
Phoque gris [Halichoerus grypus] sur une plage. Réserve naturelle de Donna Nook, Angleterre.
A Grey Seal [Halichoerus grypus] on a beach. Donna Nook Nature Reserve, England.

Theo Allofs
Chutes de l'Iguaçu. Parc national d'Iguaçu, Brésil.
Cascades of Iguaçu Falls. Iguaçu National Park, Brazil.

Mark Moffett
Pour les kapurs [Dryobalanops lanceolata], qui élancent leur canopée à quinze mètres du sol, une quête indispensable : celle de la lumière. Malaisie.
Kapurs Trees [Dryobalanops lanceolata] raise their crown 15 metres above the ground in their indispensable quest for sunlight. Malaysia.

Albert Lleal
Les forêts de lauriers des Canaries [Laurus azorica], aujourd'hui réduites à l'état de reliques. Tenerife, îles Canaries, Espagne.
A forest of Macaronesian Laurels [Laurus azorica], now just a shadow of its former size. Tenerife, Canary Islands, Spain.

Mark Moffett
Mante religieuse tropicale non encore identifiée, en posture défensive. Surinam.
An unidentified Rainforest Mantid, in a defensive posture. Surinam.

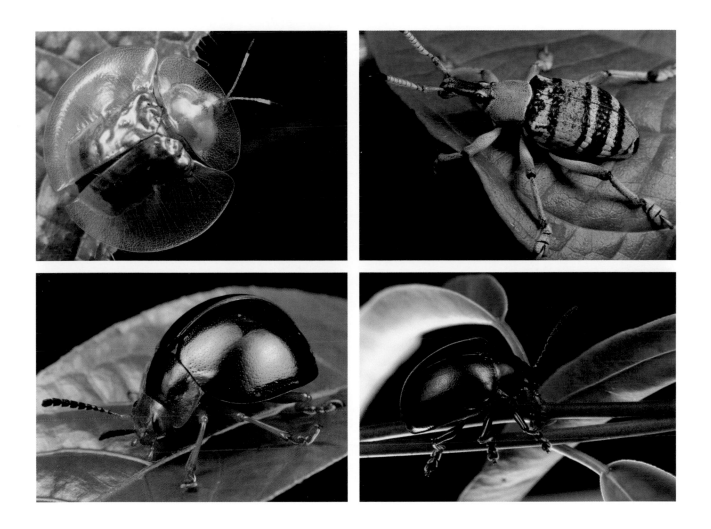

Mark Moffett
Haut gauche / Scarabée de la famille des Cassides.
Réserve de la biosphère de Sinharâja, patrimoine mondial de l'humanité, Sri Lanka.
Haut droite / "Vrai" charançon [Eupholus sp]. Wau, Papouasie Nouvelle-Guinée.
Bas gauche / Portrait d'un chrysomèle des feuilles [Chrysomelidae]. Afrique du Sud.
Bas droite / Le chrysomèle des feuilles [Chrysomelidae] module à volonté les nuances
de sa carapace colorée. Afrique du Sud.
Top left / Scarab of the Cassides family. Sinharaja Biosphere Reserve,
Unesco World Heritage Site, Sri Lanka.
Top right / "True" Weevil [Eupholus sp]. Wau, Papua New Guinea.
Bottom left / Leaf Beetle [Chrysomelidae] portrait. South Africa.
Bottom right / The Leaf Beetle [Chrysomelidae] can adjust the colour tones
of its shell at will. South Africa.

Xi Zhinong
Villages et champs cultivés empiètent peu à peu sur l'habitat naturel
du rhinopithèque brun [Rhinopithecus bieti], petit primate rare et menacé de disparition. Tibet.
Villages and farmland are gradually encroaching on the natural habitat of the Snub-nosed Monkey [Rhinopithecus bieti],
a rare small primate threatened with extinction. Tibet.

Katherine Feng

Première sortie de maternité pour un panda géant [Ailuropoda melanoleuca] âgé de quelques mois
au Centre de recherche pour la protection du panda géant dans la réserve naturelle de Wolong, créée en 1963. Sichuan, Chine.
First excursion for a baby Giant Panda [Ailuropoda melanoleuca] born in the China Conservation and Research Centre
for the Giant Panda in Wolong Nature Reserve created in 1963. Sichuan, China.

Gerry Ellis
Haut gauche / Elevé en couveuse, ce panda géant [Ailuropoda melanoleuca] de 37 jours,
considéré comme "Trésor national", représente l'espoir de sauver le symbole des espèces menacées.
Top left / Hand-raised in an incubator, this 37-day-old Giant Panda [Ailuropoda melanoleuca] considered by China
as a "National Treasure", embodies the symbol that threatened species can be saved.

Katherine Feng
Milieu gauche / A Wolong, la survie des jeunes pandas géants [Ailuropoda melanoleuca] est une priorité absolue.
Centre left / Helping young Giant Pandas [Ailuropoda melanoleuca] survive in Wolong is an absolute priority.

Katherine Feng
Bas gauche / Mis au monde au centre de recherche en 2006, et tous en bonne santé, seize bébés pandas géants
[Ailuropoda melanoleuca] se disposent à figurer sur l'album des naissances de l'année. Depuis, la Chine compte environ
deux cents pandas dans les centres qui leur sont dédiés et environ mille cinq cents en liberté.
Bottom left / These 16 healthy baby Giant Pandas [Ailuropoda melanoleuca] born in the Research Centre get ready to pose
for the Centre's 2006 photo yearbook. Since then, some 200 pandas live in Chinese centres devoted to their care and
another 1,500 pandas in the wild.

Gerry Ellis
Bas droite / Né en captivité, Xiang Xiang a été le premier panda géant [Ailuropoda melanoleuca]
à retrouver une existence libre et sauvage en avril 2006. Cinq autres pandas devraient prendre
le chemin de la liberté d'ici 2010. Réserve naturelle de Wolong, Sichuan, Chine.
Bottom right / Born in captivity, Xiang Xiang was the first Giant Panda [Ailuropoda melanoleuca] to be released to a life
of freedom in the wild in April 2006. Five other pandas should be following in his footsteps into the wild by 2010.
Wolong Nature Reserve, Sichuan, China.

Pete Oxford
Pour les pandas géants [Ailuropoda melanoleuca] du Centre de recherche de Wolong, la longue marche
vers la liberté a commencé. Un ambitieux programme de réintroduction devrait augmenter le nombre de pandas
dans les trente-sept sanctuaires qui leur sont destinés au sein des réserves. Province de Sichuan, Chine.
For Giant Pandas [Ailuropoda melanoleuca] of the China Conservation and Research Centre of Wolong,
the long march to freedom has begun. An ambitious programme to reintroduce the animals to the wild is expected
to markedly increase the number of wild-living pandas in the 37 animal sanctuaries set aside for them within the nature reserves.
Sichuan Province, China.

Thomas Mangelsen
Il reste moins de trois mille tigres du Bengale
[Panthera tigris tigris] dans le monde, promis
à un avenir incertain. Parc national de Bandhavgarh,
Madhya Pradesh, Inde.
There are less than 3,000 Bengal Tigers
[Panthera tigris tigris] left worldwide and their
future is uncertain. Bandhavgarh National Park,
Madhya Pradesh, India.

Thomas Mangelsen
Assiégé, braconné, le tigre du Bengale [Panthera tigris tigris], pourtant protégé, est en perpétuelle cavale. Inde.

Cyril Ruoso
Haut / La moitié des forêts tropicales humides du monde a déjà disparu.
Au rythme actuel, elles auront cessé d'exister d'ici un siècle. Cameroun.
Top / Half of the world's tropical rainforests have already disappeared.
At this rate, they will cease to exist within the next 100 years. Cameroon.

Xi Zhinong
Bas / Si rien n'est entrepris pour le sauver, déforestation et braconnage auront la peau du tigre
[Panthera tigris], ici le résultat d'une saisie de trafiquants à la frontière sino-birmane. Yunnan, Chine.
Bottom / Deforestation and poaching will sound the death knell for the tiger [Panthera tigris], if nothing
is done to save it. These tiger skins were confiscated from traffickers on the border between Burma and China.
Yunnan Province, China.

Christian Ziegler
Non loin du Canal de Panama qui relie l'Atlantique au Pacifique, la rivière Chagres gonfle les eaux du lac Gatun. Parc national de Soberania, Panama.
Not far from the Panama Canal linking the Atlantic to the Pacific, the Chagres River feeds the waters of Gatun Lake. Soberania National Park, Panama.

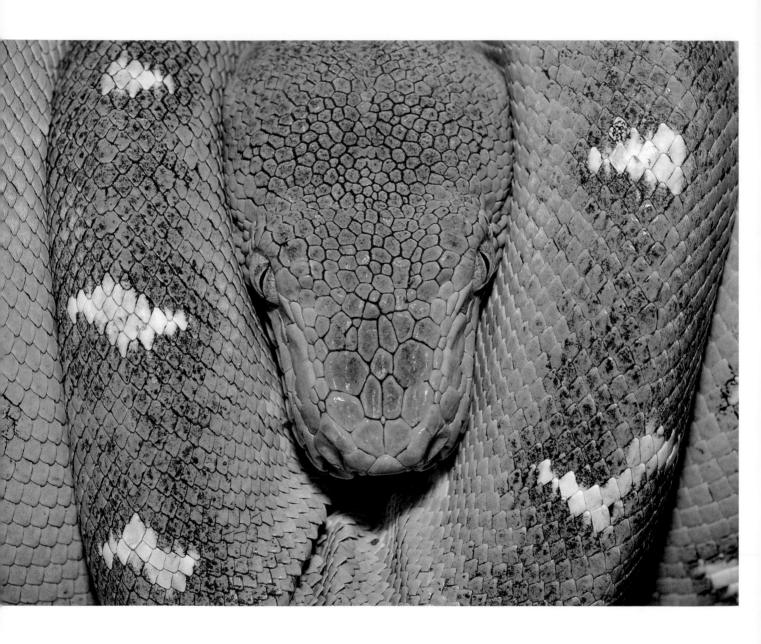

Pete Oxford
Gauche / Boa émeraude [Corallus caninus] lové sur une branche, dans la forêt amazonienne. Equateur.
Left / An Emerald Tree Boa [Corallus caninus] coiled on a branch in the Amazon Forest. Ecuador.

Thomas Marent
Droite / Les fougères arborescentes [Dicksonia sp] ont été le témoin de la disparition des dinosaures,
la cinquième extinction de masse connue à ce jour. Parc national de Fjordland, Nouvelle-Zélande.
Right / Tree Ferns [Dicksonia sp] witnessed the disappearance of the dinosaurs,
the fifth mass extinction that has occured to date. Fjordland National Park, New Zealand.

Mark Moffett
Les chasseurs Embera enduisent depuis toujours leurs fléchettes avec le poison sécrété par la grenouille "kokoï" [Phyllobates terribilis].
La médecine moderne s'intéresse aujourd'hui de très près à ces substances rares et puissantes offertes par la nature. Colombie.
Emberá Chocó hunters have always coated their darts with a poison secreted by the Golden Poison Dart Frog [Phyllobates terribilis].
Modern medicine is now very intrigued by these rare and powerful substances found in nature. Colombia.

Piotr Naskrecki
Discrète, la grenouille arboricole [Agalychnis calcariferse] habite les clairières des forêts tropicales humides. Costa Rica.
The discreet Splendid Leaf Frog [Agalychnis calcarifer] is found in the clearings of tropical rainforest. Costa Rica.

Mark Moffett
Entre Belo Horizonte, troisième ville du Brésil, et la forêt atlantique, extraordinaire réservoir de biodiversité, un équilibre précaire.
En principe protégée, la "mata atlantica" reste néanmoins l'objet de convoitises.
En cinq siècles, la jungle a perdu quatre-vingt treize pour cent de sa superficie. Brésil.
There is a precarious equilibrium between Belo Horizonte, Brazil's third largest city, and the Atlantic Rainforest, an extraordinary wealth of biodiversity. In five centuries, the now-protected but much-coveted "mata atlantica" has shrunk by 93 percent. Brazil.

Pete Oxford
L'ara chloroptère [Ara chloroptera], l'un des plus grands du genre, est décimé par
la déforestation et un trafic illégal en pleine expansion. Cerrado, Mato Grosso do Sul, Brésil.
The Red and Green Macaw [Ara chloroptera], one of the largest of its kind, is being decimated
by deforestation and a boom in illegal trafficking. Cerrado, Mato Grosso do Sul, Brazil.

Pete Oxford
Pour échapper à ses prédateurs, le fulgore porte-lanterne [Fulgora laternaria]
est passé maître dans l'art du camouflage. Forêt tropicale amazonienne, Equateur.
The Lanternfly [Fulgora laternaria] has become a master of disguise
in order to escape its predators. Amazonian tropical forest, Ecuador.

Mitsuhiko Imamori
Enfant tenant un scarabée rhinocéros
[Titanus giganteus], l'un des plus grands
scarabées du monde. Amérique du Sud.
Child holding Longhorn Beetle
[Titanus giganteus] one of the world's largest
Beetles. South America.

Pete Oxford
Cloportes [Armadillidium vulgare] séchés,
vendus sur un marché de médecine
traditionnelle. Yunnan, Chine.
Common Pillbug [Armadillidium vulgare]
dried for sale in traditional
medicine market. Yunnan, China.

Thomas Marent
Madagascar abrite les trois-quart des
caméléons de la planète. Ici, un caméléon
nain [Brookesia minima] posé sur le doigt
d'un chercheur. Parc national de la
Montagne d'Ambre, île de Nossi-Bé,
Madagascar.
Madagascar is home to three quarters of the
planet's Chameleons. Here, a Pygmy Leaf
Chameleon [Brookesia minima] rests on a
researcher's finger. Amber Mountain National
Park, Nossi-Bé Island, Madagascar.

Thomas Marent
La fourrure du gorille des montagnes [Gorilla gorilla beringei] le protège de la pluie,
mais ni du braconnage, ni des guerres civiles. Les gorilles ne sont plus que sept cents aujourd'hui. Parc national des Volcans, Rwanda.
The fur of the Mountain Gorilla [Gorilla gorilla beringei] protects it from the rain but not from poachers or civil war.
There are just 700 of these gorillas left. Parc National des Volcans, Rwanda.

Mark Moffett
Les plantations d'eucalyptus [Eucalyptus sp], originaires d'Australie, ont remplacé trois millions d'hectares
de forêt au Brésil qui espère devenir ainsi le premier fournisseur de pâte à papier au monde. Forêt atlantique, Brésil.
Planted Gum Tree [Eucalyptus sp], a native plant of Australia, have replaced 3 million hectares of forest in Brazil,
which hopes to become the world's biggest supplier of wood pulp. Atlantic Forest, Brazil.

Cyril Ruoso

L'Afrique perd chaque année quatre millions d'hectares de forêts. En Europe, la France est le premier importateur de bois exotiques. Cameroun.
Africa loses 4 million hectares of forest every year. France is the biggest European importer of tropical hardwood. Cameroon.

Pete Oxford
Pour les sifakas de Coquerel [Propithecus coquereli], ici une mère et son petit, la protection de la forêt est vitale.
Réserve naturelle intégrale de l'Ankarafantsika, forêt sèche occidentale, Madagascar.
Forest preservation is vital for the Coquerel's Sifaka [Propithecus coquereli], here a mother and young.
Ankarafantsika Striet National Park, Western Deciduous Forest, Madagascar.

Gauche / Frodo, mâle turbulent et dominant de la communauté des chimpanzés
[Pan troglodytes] étudiée par la primatologue Jane Goodall. Parc national de Gombé Stream, Tanzanie.
Left / Frodo, a boisterous and dominant male in this community of Chimpanzees [Pan troglodytes] studied
by primatologist Jane Goodall. Gombe Stream National Park, Tanzania.

Droite / A Bornéo, à Sumatra, leurs forêts sont incendiées, transformées en plantations
de palmier à huile. Deux cents orphelins arrachés aux trafiquants ont trouvé refuge au centre de Wanariset.
Tirés à vue, braconnés, les orang-outans [Pongo pygmaeus] auront disparu dans dix ans
si les lois qui les protègent ne sont pas appliquées. Indonésie.
Right / Two hundred orphaned orangutans [Pongo pygmaeus] have found a refuge in the Wanariset
Rehabilitation Centre in Borneo after being taken from traffickers. Their forests in Borneo and Sumatra are
being torched and turned into oil palm plantations. Openly shot and poached, orangutans will disappear
within 10 years if the laws protecting them are not enforced. Indonesia.

Gerry Ellis
Un dik dik [Madoqua sp] sauvé d'un piège par une patrouille anti-braconnage
dans le parc national du Tsavo Est, près de la frontière tanzanienne. Kenya.
A Dik-Dik [Madoqua sp] rescued from a snare by an anti-poaching patrol
near the Tanzanian border in Tsavo East National Park. Kenya.

Gerry Ellis
Pièges, collets, autant de trophées pour Vatari, membre d'une patrouille anti-braconnage. Parc national des Volcans, Rwanda.
Traps and snares are just so many trophies for Vatari, a member of an anti-poaching patrol. Parc National des Volcans, Rwanda.

Gerry Ellis
A quatre semaines, Natumi, éléphant d'Afrique [Loxodonta africana], est déjà orphelin.
Mais une équipe dévouée a pris son destin en mains. Fondation David Sheldrick, parc national de Tsavo Est, Kenya.
Natumi, an African Elephant [Loxodonta africana], is already an orphan at the age of four weeks
but a dedicated team is looking after him. David Sheldrick Foundation, Tsavo East National Park, Kenya.

Gerry Ellis
Dès leur arrivée à la Fondation David Sheldrick, les éléphanteaux orphelins [Loxodonta africana]
sont accueillis par Malaika, une femelle adolescente. Parc national de Tsavo Est, Kenya.
As soon as they arrive, orphan elephants [Loxodonta africana] are looked after by Malaika,
an adolescent orphaned female. David Sheldrick Foundation, Tsavo East National Park, Kenya.

Gerry Ellis
Il faudra cinq années à ces orphelins, veillés jour et nuit par leurs soigneurs, pour être sevrés, et ensuite adoptés
par les éléphants sauvages [Loxodonta africana]. Fondation David Sheldrick, parc national de Tsavo Est, Kenya.
Watched over day and night by their attendants, it will take these orphans five years to be weaned and finally
adopted by wild African Elephants [Loxodonta africana]. David Sheldrick Foundation, Tsavo East National Park, Kenya.

Mitsuaki Iwago
Dans la société matriarcale des éléphants d'Afrique [Loxodonta africana], les jeunes ont une place prépondérante. Kenya.
Their young have an important role to play in the matriarchal society of African Elephants [Loxodonta africana]. Kenya.

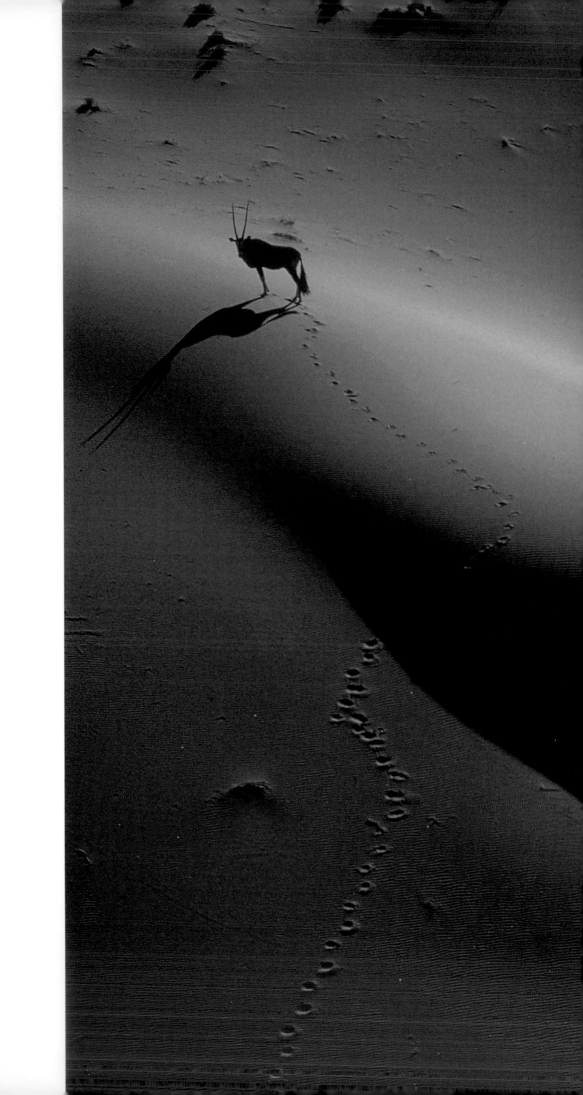

Jim Brandenburg
L'oryx [Oryx gazella] s'est adapté à la vie dans le désert du Namib, le plus ancien de la planète. Namibie.
The Gemsbok [Oryx gazella] has adapted to life in the Namib Desert, our planet's oldest desert. Namibia.

Mitsuaki Iwago
Dans le Serengeti, l'un des écosystèmes les mieux préservés du globe,
une famille de lions d'Afrique [Panthera leo] attend la fin de la saison sèche.
Parc national du Serengeti, Tanzanie.
A pride of African Lions [Panthera leo] awaits the end of the dry season in the Serengeti,
one of the world's best preserved ecosystems. Serengeti National Park, Tanzania.

Mitsuaki Iwago
Pour cette lionne [Panthera leo] et son lionceau, l'arrivée des premières pluies annonce une aube nouvelle. Parc national du Serengeti, Tanzanie.
The arrival of the first rains bodes well for this lioness [Panthera leo] and her cub. Serengeti National Park, Tanzania.

Mitsuaki Iwago
Avec la saison des pluies, un million et demi
de gnous [Connochaetes taurinus]
et deux cent mille zèbres des plaines
[Equus burchellii] entament leur migration.
Parc national du Serengeti, Tanzanie.
One and a half million Blue Wildebeest
[Connochaetes taurinus] and 200,000 Burchell's
Zebras [Equus burchellii] begin their migration
in the rainy season. Serengeti National Park,
Tanzania.

Mitsuaki Iwago

Pour la possession d'un territoire et d'un harem, une lutte à mort s'engage entre deux lions mâles [Panthera leo]. Parc national du Serengeti, Tanzanie.

Two male African Lions [Panthera leo] in a fight to the death over a territory and a harem. Serengeti National Park, Tanzania.

Mitsuaki Iwago
Sur les vastes étendues du Serengeti, une migration de plus de mille kilomètres rassemble gnous [Connochaetes taurinus], zèbres des plaines [Equus burchellii] et gazelles. Parc national du Serengeti, Tanzanie.
Blue Wildebeest [Connochaetes taurinus], Burchell's Zebras [Equus burchellii] and Gazelle migrate over 1,000 kilometres across the Serengeti's seemingly endless plains. Serengeti National Park, Tanzania.

Richard Du Toit
Une petite troupe de gnous [Connochaetes taurinus] s'attarde près d'un point d'eau. Parc national de Chobe, Botswana.
A small herd of Blue Wildebeest [Connochaetes taurinus] lingers near a watering hole. Chobe National Park, Botswana.

Suzi Eszterhas
Seuls les guépards mâles [Acinonyx jubatus] se regroupent en bandes à l'adolescence.
Adultes, ils mèneront une existence solitaire. Zone de conservation du Ngorongoro, Tanzanie.
Male Cheetahs [Acinonyx jubatus] occur in groups as adolescents but lead a solitary existence as adults.
Ngorongoro Conservation Area, Tanzania.

Suzi Eszterhas
Chez les gazelles de Thomson [Gazella thomsoni], les naissances coïncident avec l'arrivée des pluies. Masai Mara, Kenya.
Thomson's Gazelle [Gazella thomsoni] give birth with the arrival of the rainy season. Masai Mara, Kenya.

Mitsuaki Iwago
Pasteurs nomades, les Masaï partagent en
paix les pâturages des troupeaux sauvages.
Mais la pression humaine à l'extérieur comme
à l'intérieur des réserves naturelles augmente
les risques de conflits. Afrique de l'Est.
Nomadic herdsmen, the Masai peacefully share
their wild herd pastures. But human pressure from
outside and inside the nature reserves increases
the risk of conflict. East Africa.

Yva Momatiuk & John Eastcott
Symbole d'une vie libre dans les vastes étendues du continent américain, le mustang [Equus caballus]
est en principe protégé. Mais les éleveurs empiètent sur ses territoires. Pryor Mountain Wild Horse Range, Montana, Etats-Unis.
A symbol of freedom is the American continent's wide open spaces, the Mustang [Equus caballus] is supposedly protected
but sheep and cattle ranchers are encroaching on its territory. Pryor Mountain Wild Horse Range, Montana, United States.

Jim Brandenburg

Haut / Les bisons d'Amérique [Bison bison] étaient plus de soixante-dix millions
avant l'arrivée des Européens. Ils sont à peine quelques milliers à avoir conservé leur liberté.
Parc régional de Blue Mounds, Minnesota, Etats-Unis.
Bas / Pour affamer les Indiens, les bisons [Bison bison] ont été systématiquement massacrés,
à la fin du XIXᵉ siècle. Les survivants, hommes et bisons ont fini dans des réserves.
Dakota du Sud, Etats-Unis.
Top / There were more than 70 million American Bison [Bison bison]
when the Europeans first arrived. Today, there are just a few thousand still living in the wild.
Blue Mounds State Park, Minnesota, United States.
Bottom / The American Bison [Bison bison] were systematically slaughtered at the end of
the 19ᵗʰ century to starve the Native Americans. The survivors, human and bison,
ended up on reservations. South Dakota, United States.

Gauche / Bison d'Amérique [Bison bison]. Réserve Sioux Pine Ridge d'Ogallala [Oglala Sioux],
Badlands, Dakota du Sud, Etats-Unis.
Left / The American Bison [Bison bison]. Ogallala Sioux [Oglala Sioux] Pine Ridge Reservation,
Badlands National Park, South Dakota, United States.

Yva Momatiuk & John Eastcott
Au pied d'une butte de grès, des dunes de sable pétrifiées révélées par l'érosion. L'ouest américain est devenu plus désertique au siècle dernier, lorsque le surpaturage du bétail a modifié le climat local. Plateau du Colorado, Utah, Etats-Unis.
Petrified sand dunes exposed by erosion at the foot of a sandstone butte. The American West became more desert-like in the last century, when livestock overgrazing changed the local climate. Colorado Plateau, Utah, United States.

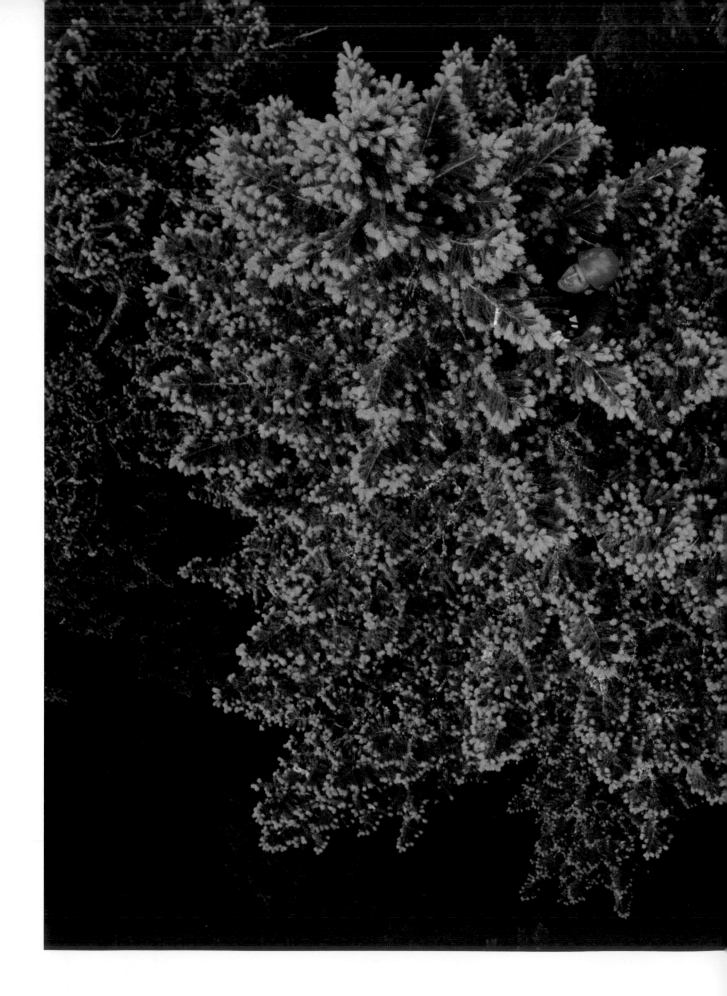

Mark Moffett
Le pin d'Oregon ou sapin de Douglas [Pseudotsuga menziesii] n'est ni un pin, ni un sapin. Mais il intéresse de près
l'écologiste Joel Clement, qui étudie la canopée de ces géants sous protection. Wind River, Washington, Etats-Unis.
The Oregon Pine or Douglas Fir [Pseudotsuga menziesii] is neither a pine nor a fir but it greatly interests
ecologist Joel Clement, who is studying the canopy of these protected giants. Wind River, Washington, United States.

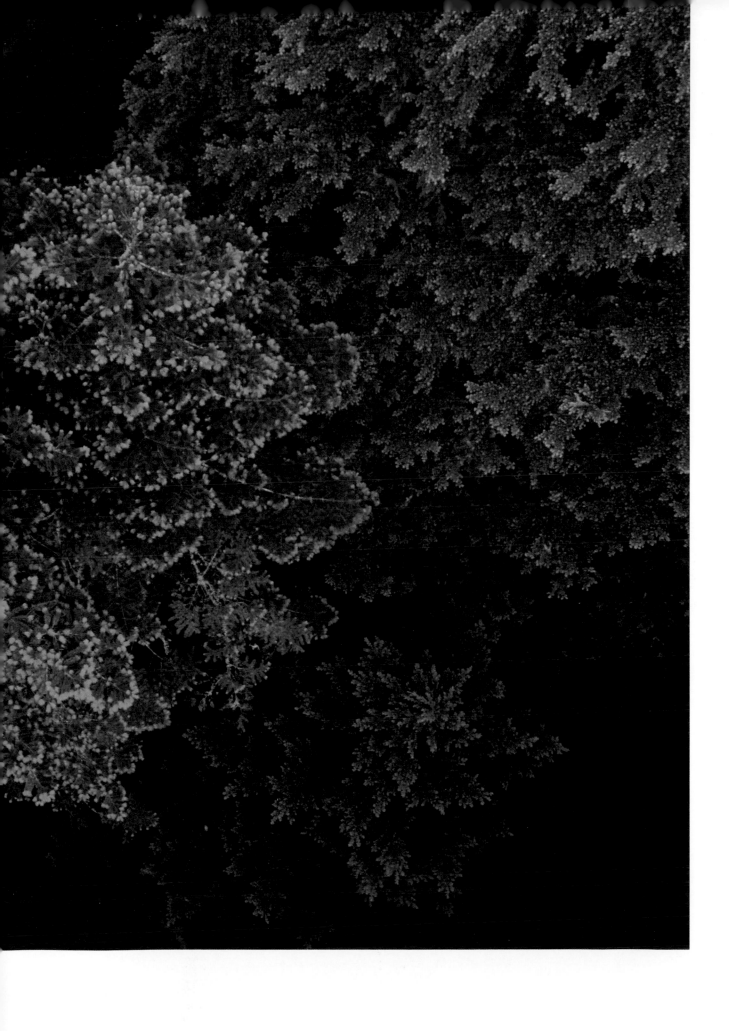

Jim Brandenburg
Haut / Attirés par le sel répandu sur les routes en hiver, les élans [Alces americanus],
ici une femelle, s'approchent dangereusement des véhicules. Minnesota, Etats-Unis.
Bas / Sur un territoire de plus en plus quadrillé et morcelé par les voies de circulation,
les collisions entre automobiles et animaux sauvages, ici un cerf de Virginie
[Odocoileus virginianus], sur l'autoroute Banff-Jasper se comptent
chaque année en millions. Canada.
Top / Attracted by the salt spread on winter roads, a female Moose
[Alces americanus] gets dangerously close to passing cars. Minnesota, United States.
Bottom / As land is increasingly criss-crossed and carved up by roads, there are now more than
a million collisions each year between cars and wild animals, in this case a White-tailed Deer
[Odocoileus virginianus] on the Banff-Jasper Highway. Canada.

Michael Quinton
Gauche / Les modifications climatiques amplifient les incendies de forêts
et dévastent d'immenses étendues. Un wapiti [Cervus elaphus] brâme,
épuisé par la course contre les flammes. Parc national de Yellowstone, Wyoming, Etats-Unis.
Left / Climate change is causing more frequent fires that are devastating large
expanses of forests. An Elk [Cervus elaphus] bellows, exhausted by the race against the flames.
Yellowstone National Park, Wyoming, United States.

Jim Brandenburg
Entre attraction et méfiance, un loup gris
[Canis lupus] hésite à sortir du bois.
A la Préhistoire, hommes et loups vivaient en paix,
partageant les mêmes territoires de chasse.
Puis le pacte a été rompu. Depuis, le loup vit en fugitif.
Minnesota, Etats-Unis.
Intrigued but suspicious, a Timber Wolf [Canis lupus]
hesitates to emerge from the forest. Men and wolves
lived in peace in prehistoric times, sharing the same
hunting territory. But the pact was broken and since
then the wolf has been a fugitive.
Minnesota, United States.

Jim Brandenburg
Jeux de loups gris [Canis lupus] à travers la neige épaisse sur un lac gelé.
Les études montrent la forte cohésion sociale des meutes. Minnesota, Etats-Unis.
Timber wolves play in the thick snow on a frozen lake. Studies reveal a strong social
cohesion between pack members. Minnesota, United States.

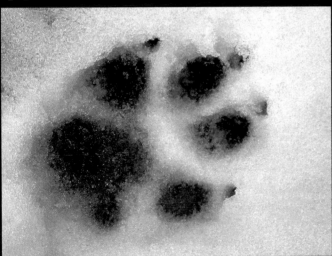

Jim Brandenburg
Haut / Chez les loups gris [Canis lupus], seul le couple dominant peut se reproduire.
Tout adulte de la meute est un parent en puissance pour les louveteaux. Minnesota, Etats-Unis.
Bas droit / Trace d'un loup gris [Canis lupus] blessé. Minnesota, Etats-Unis.
Bas gauche / Protégé en Europe par la convention de Berne, le loup gris [Canis lupus]
continue de vivre en fugitif. En 2009, les Etats-Unis ont reclassé le loup
sur la liste des espèces protégées. Minnesota, Etats-Unis.
Top / Only the dominant couple breeds in a pack of Timber Wolves [Canis lupus]
but every adult can act as a parent towards the cubs. Minnesota, United States.
Bottom right / Tracks of a wounded Timber Wolf [Canis lupus], Minnesota, United States.
Bottom Left / Protected in Europe by the Bern Convention, the Timber Wolf [Canis lupus]
is still a fugitive. The United States put it back on the list of protected species in 2009.
Minnesota, United States.

Jim Brandenburg
Un loup arctique [Canis lupus], le plus insaisissable de tous,
s'élance vers la liberté. Ile d'Ellesmere, Nunavut, Canada.
An Arctic Wolf [Canis lupus], the most elusive of all the wolves,
darts to freedom. Ellesmere Island, Nunavut, Canada.

Pour en savoir plus, l'UICN
[Union Internationale pour la Conservation de la Nature]
édite chaque année La Liste Rouge des espèces menacées.
www.iucn.org
For more information, see the Red List of Threatened Species,
which is updated every year by **IUCN**.
[the International Union for Conservation of Nature]
www.iucn.org.

Jim Brandenburg / Minden Pictures

LIBERTÉ DE LA PRESSE
ET ENVIRONNEMENT

PRESS FREEDOM
AND ENVIRONMENT

Lai Baldé, journaliste guinéen, vit sous la menace. Tamer Mabrouk, blogueur égyptien, fait l'objet d'une procédure judiciaire. Le journaliste russe Grigory Pasko a passé quatre années en prison. Son confrère ouzbek, Solidzhon Abdurakhmanov, vient d'être condamné à dix ans de prison. Victime d'une agression, Mikhaïl Beketov, un autre journaliste russe, a perdu une jambe et plusieurs doigts. Maria Nikolaeva, reporter en Bulgarie, est menacée d'être aspergée d'acide. Joey Estriber, journaliste philippin, a disparu depuis 2006... Quel point commun y a-t-il entre tous ces journalistes, dont la liste est loin d'être exhaustive ? Ils enquêtent, ou ont enquêté, sur des sujets liés à l'environnement dans des pays où il est dangereux de le faire.

L'enjeu environnemental est immense. Pour préserver la nature, il faut en premier lieu établir un diagnostic précis de l'état des ressources et de la façon dont elles sont utilisées. Grâce à ce travail d'analyse, les décideurs politiques peuvent ensuite édicter des règles et fixer les normes qui s'imposeront aux acteurs économiques et aux populations. S'il y a loin de l'intention à la réalité, cette simple perspective constitue une menace jugée déjà suffisante par nombre d'individus, d'organisations mafieuses, voire d'Etats, et de toutes sortes d'intermédiaires, qui tirent profit d'un usage abusif du milieu naturel. A l'évidence, la contrainte environnementale constitue un frein à leurs projets. Cette contradiction, entre l'aspiration récente de la société à mieux vivre avec la nature et le comportement prédateur qui a prévalu chez les hommes jusqu'à présent, constitue le coeur d'un nouveau conflit dont on mesure encore mal les dimensions. Dans les pays non démocratiques, les journalistes spécialisés dans les questions environnementales se retrouvent ainsi aux avant-postes d'une nouvelle ligne de front. Leur combat est celui de toute la société. Les violences qu'ils subissent nous concernent tous : elles sont le reflet de nouveaux enjeux politiques et géostratégiques. ▸▸

Guinean journalist Lai Baldé's life is being threatened. Egyptian blogger Tamer Mabrouk is being sued. Russian journalist Grigory Pasko has just spent four years in prison. His Uzbek colleague, Solidzhon Abdurakhmanov, has just been given a 10-year jail sentence. Mikhail Beketov, another Russian journalist, lost a leg and several fingers as the result of an assault. Bulgarian reporter Maria Nikolaeva was threatened with having acid thrown in her face. Filipino journalist Joey Estriber has been missing since 2006... What do these journalists and countless others have in common? They either are, or were, covering environmental issues in countries where it is dangerous to do so.

Environmentally, there is a great deal at stake. The first step in protecting nature is to carry out a detailed assessment of the status of available resources and how they are being used. On the basis of this analysis, political decision-makers can then enact rules and set standards for economic actors and the public. This may take time, but even the prospect is a sufficient threat for many individuals, organised crime groups, governments and the various kinds of intermediaries that profit from misuse of the environment. Obviously, environmental concerns complicate their plans. This contradiction between society's newly-acquired desire to cohabit on better terms with nature and the predatory behaviour that has prevailed until now is the source of a new conflict whose dimensions have yet to be clearly assessed. In non-democratic countries, environmental journalists are vanguard troops in a new sort of battle. They are waging a fight on behalf of all of society. The violence to which they are subjected concerns us. It reflects the new political and geostrategic issues at stake. ▸▸

Colin Monteath / Minden Pictures

Haut / Top

Déchets radioactifs. Namibie.
Radioactive wastes. Namibia.

Bas / Bottom

Brume de pollution au-dessus de Christchurch.
Ile du Sud, Nouvelle-Zélande.
Smog over Christchurch. South Island, New Zealand.

RFI, votre radio pour comprendre le monde

C'est pas du vent !

du lundi au vendredi 11h-12h
Présenté par Anne-Cécile Bras et
Arnaud Jouve:

Le seul magazine quotidien sur l'environnement.
Etats de la biodiversité,réchauffement
climatique, nouvelles énergies...

Tous les jours, *C'est pas du vent*
décrypte l'actualité de la planète.

toutes les informations sur :
www.rfi.fr

▶▶ Les points de confrontation sont si nombreux et variés qu'il est impossible d'en dresser la liste. Parfois, le simple séjour d'un journaliste sur un site sensible où sa présence est jugée indésirable suffit à nourrir une crise. Dans d'autres cas, c'est la publication d'une enquête détaillée, citant les faits et les noms, qui provoque une agression coercitive. Entre ces deux situations placées aux extrémités de la chaîne de l'information, tous les scénarios sont possibles.

Autre sujet de préoccupation : les agresseurs ne sont pas toujours ceux que l'on croit. Bien sûr, dans la plupart des cas, ce sont les hommes de main d'entrepreneurs mafieux ou de politiciens corrompus qui commettent les crimes. Mais, dans plusieurs pays, Reporters sans frontières a pu observer ce paradoxe : la population locale, pourtant première victime de la pollution et des trafics, fait corps avec ceux qui compromettent son avenir. La raison est évidente : ceux qui s'enrichissent en pillant les ressources ont les moyens de procurer, ce faisant, un emploi aux plus démunis. Un travail le plus souvent à peine rémunéré. Mais un travail tout de même, qui permet à des familles pauvres de survivre au jour le jour. Lorsque la presse met en cause leurs agissements, ces employeurs peu scrupuleux n'ont aucun mal à user de la menace du chômage pour lever, à leur profit, une armée d'ouvriers laborieux prêts à les défendre. C'est ce qui rend la lutte contre la déforestation ou le combat contre les usines les plus polluantes si difficile, et si ingrat, pour ceux qui le conduisent.

Ce combat est inégal d'autant plus qu'il est mené, le plus souvent, dans des pays où tous les rouages du pouvoir semblent complices et où l'appareil judiciaire, lorsqu'il existe, ne joue pas son rôle. On va le voir : la plupart des affaires liées à l'environnement ne connaissent pas de dénouement judiciaire. On peut même affirmer que, dans la majeure partie des cas, les journalistes sont livrés à eux-mêmes pour se défendre. D'où l'importance de faire connaître cette lutte et de lui apporter le soutien de l'opinion publique. ▶▶

▶▶ The points of confrontation are too many and diverse to be listed here. Sometimes a crisis can be sparked merely by a journalist's presence in a sensitive location where he is not wanted. In other cases, the publication of a detailed press report, citing names and facts, triggers an act of coercive aggression. Any scenario is possible between the two extremes of the information chain. Another concern is that the assailants are not always whom you might expect. Predictably, in most cases, the violence is the work of thugs in the pay of criminal entrepreneurs or corrupt politicians. But in some countries, as Reporters Without Borders has discovered, the local population, even though it is their most direct victim, paradoxically often supports those responsible for the pollution and trafficking which are compromising its future. The reason is apparent: those who get rich by despoiling resources are able, in the process, to provide work to those most in need. It may be poorly paid, but it is work all the same and it enables impoverished families to survive from one day to the next. When the press questions their activities, these unscrupulous employers can use the threat of layoffs to raise an army of workers ready to defend them. As a result, combating deforestation and the factories causing the most pollution is often difficult and thankless work.

The fight is all the more unequal for in that it is usually being waged in countries where all of the state machinery seems to be an accomplice to the crimes and where the judicial apparatus, when it exists, does not play its role. Most environment-related cases are never settled in the courts. It might even be said that most journalists are on their own when it comes to defending themselves hence the importance of making people aware of this struggle and of mobilising public opinion. ▶▶

Haut / Top
En hiver, les mouettes investissent les décharges. Europe.
Gulls at a garbage dump in winter. Europe.

Bas / Bottom
Plateforme de forage offshore. Chenal de Santa Barbara, Etats-Unis.
Drilling platform. Santa Barbara Channel, United States.

Nous faisons vivre la première des libertés

REPORTERS SANS FRONTIERES
POUR LA LIBERTÉ DE LA PRESSE

www.rsf.org

En offrant quotidiennement toute la presse nationale et internationale aux voyageurs, Relay défend la liberté d'expression aux côtés de Reporters sans frontières.

RELAY

www.relay.fr

1 100 MAGASINS RELAY DANS 16 PAYS

ALLEMAGNE, AUSTRALIE, BELGIQUE, CANADA, CHINE, ESPAGNE, ETATS-UNIS, FRANCE, HONGRIE, POLOGNE, PORTUGAL, RÉPUBLIQUE TCHÈQUE, ROUMANIE, SERBIE, SUISSE, TAIWAN.

Le gaspillage des ressources naturelles : un sujet sensible sur tous les continents

On le sait maintenant : les ressources naturelles ne sont pas inépuisables. Les ressources fossiles constituent un stock limité. Lorsque tout le pétrole aura été consommé, il faudra attendre des millions d'années pour remplir de nouveau les cuves. Ce qui est vrai pour le sous-sol l'est également pour le sol. Certes, la forêt repousse. Mais celles que l'homme reconstruit aujourd'hui ne seront jamais aussi biologiquement riches que les forêts primaires vieilles de centaines de milliers d'années. D'où l'importance de les préserver.

C'est ce que tente de faire Lúcio Flávio Pinto, fondateur et rédacteur en chef du bimensuel brésilien *Jornal Pessoal* à Belém (Etat de Pará, Nord). Il a publié une série d'enquêtes consacrées à la déforestation au Brésil. Résultat : dix-huit actions en justice, dont dix pour "diffamation", ont été engagées contre lui. C'est aussi le combat de Lai Baldé, journaliste correspondant de la radio *Bombolom-FM* à Bissora, au nord de la Guinée-Bissau. Le lendemain du jour où il a diffusé un long reportage dénonçant l'exploitation clandestine des forêts, il a reçu des "conseils". L'interlocuteur anonyme de Lai Baldé lui a simplement indiqué : « Eh ! cher frère, pourquoi insistez-vous tant sur cette affaire ? Nous savons que les gens font quelque chose de mauvais. Mais nous n'avons pas le choix. N'en parlez plus, soyez gentil... »

En Birmanie, la question est réglée de façon plus radicale encore. Le Bureau de la censure préalable a supprimé toute référence à la déforestation illégale, laquelle est néanmoins pratiquée à grande échelle par les responsables du régime. Au plus grand bénéfice des entreprises chinoises.

Le Cambodge a perdu la moitié de sa forêt primaire en quinze ans, malgré les millions de dollars consacrés à la protection du massif des Cardamones. Trois journalistes qui ont enquêté, à la suite des rapports de l'organisation Global Witness sur la déforestation, ont été victimes de menaces de mort. Ces rapports évoquaient l'implication de proches du chef du gouvernement dans un trafic de bois de grande ampleur. Le frère de Hun Sen, Hun Neng, aurait déclaré que si un représentant de Global Witness venait au Cambodge, il lui « taperait la tête jusqu'à la lui casser. » Les journalistes de *Radio Free Asia*, l'un des rares médias à avoir enquêté de façon approfondie sur ce sujet, ont été menacés par un inconnu qui s'est rendu dans les locaux de la station à Phnom Penh. L'un de ses journalistes, Lem Piseth, a même reçu des menaces de mort : « C'est toi Lem Piseth ? - Oui. Qui êtes-vous ? - Tu es insolent, tu veux mourir ? - Pourquoi m'insultez-vous de cette manière ? - Pour l'histoire de la forêt. Sache qu'il n'y aura pas assez de terre pour t'enterrer. » Le journaliste a été contraint de fuir le pays. ▶▶

We now know that natural resources are not inexhaustible. The supply of fossil fuels is limited. Once all existing oil supplies have been consumed, it will take millions of years to restock the reserves. What is true for the sub-soil is also true for the surface soil: the forest can grow again, but the forests being replanted today will never be as biologically rich as the primeval forests that are hundreds of millions of years old. Conserving them is therefore extremely important.

That is what Lúcio Flávio Pinto, founder and editor of *Jornal Pessoal*, a Brazilian bimonthly based in Belém, in the northern state of Pará, is trying to do. He published a series of reports about deforestation in Brazil. The outcome was 18 lawsuits, 10 of which accuse him of libel. Lai Baldé, radio station *Bombolom-FM*'s correspondent in Bissora, in northern Guinea-Bissau, has taken up the same cause. The day after the station broadcast a long news story he wrote on illegal logging, he received an anonymous phone call offering this advice: "Hey, brother! Why are you making such a big deal about this? We know that these people are doing something bad. But we have no choice. Be nice and don't talk about this again."

In Burma, the issue is dealt with in a more radical fashion. There, the military government's Press Scrutiny and Registration Board prohibits any mention of illegal logging, which is nonetheless practiced on a massive scale by the regime's officials with the help of Chinese companies.

Cambodia has lost half of its primeval forest in the past 15 years despite spending millions of dollars in foreign aid to protect the Cardamom Mountains. Three journalists received death threats when they tried to follow up deforestation reports by the NGO Global Witness that implicated Prime Minister Hun Sen's associates in massive illegal logging schemes. Hun Sen's brother Hun Neng allegedly said that, if any Global Witness representative came to Cambodia, he would "hit him on the head until he broke it." The journalists of *Radio Free Asia*, one of the few media outlets to have covered this story in detail, was threatened by an unidentified man who went to the station's bureau in Phnom Penh. One of its reporters, Lem Piseth, even had this conversation with an anonymous caller: "Is that you, Lem Piseth?" "Yes. Who are you?" "You are insolent, do you want to die?" "Why are you insulting me like this?" "Because of the forest story. Take it from me there will not be enough land to bury you". Piseth was forced to flee the country. ▶▶

Cyril Ruoso / Minden Pictures

Destruction de la mangrove du Delta de Mahakam. Kalimantan-Est, Indonésie.
Mangrove destruction in the Mahakam Delta. East Kalimantan, Indonesia.

1 océan, 2 mers, 10 mois, 32 escales…
Une expédition humaine et scientifique forte de découvertes et de rencontres.

THALASSA
L'EXPÉDITION Septembre 2009 / Juin 2010

france 3

TOUS LES VENDREDIS À 20H35

france3.fr

de près on se comprend mieux

france télévisions

Grumes de bois éco-certifiées, destinées à l'Europe.
République démocratique du Congo.
Certicated ecological timber bound for Europe.
Democratic Republic of Congo.

▶▶ Car ce genre de menace est à prendre au sérieux. Aux Philippines, Joey Estriber, animateur du programme radio "Pag-usapan Natin" ("Parlons de ça !"), dans la province d'Aurora (nord-est de Manille), a disparu en mars 2006. Kidnappé par quatre hommes, il n'a jamais reparu. Joey Estriber était connu pour ses dénonciations de la déforestation dans la province d'Aurora. Dans son programme, il revenait sur l'abattage intensif d'arbres mené par des entreprises bénéficiant de soutiens au sein de l'administration. Il avait participé à une campagne en faveur de la suspension de neuf licences accordées à des entreprises d'exploitation du bois dans cette province...

Autre exemple de gaspillage désastreux de ressources naturelles que les autorités locales tentent de masquer : la destruction de la mer d'Aral. En juin 2008, le journaliste ouzbek Solidzhon Abdurakhmanov est arrêté au Karakalpakstan (Ouest), région autonome de l'Ouzbékistan. Accusé de trafic de drogue, il est condamné séance tenante à dix ans de prison. Un verdict rapidement confirmé par la Cour suprême locale, le 19 novembre 2008, malgré une multitude d'anomalies de procédure et de contradictions dans l'acte d'accusation. En outre, curieusement, la vidéo tournée lors de l'opération de police, qui a conduit à l'arrestation du journaliste, ne montre pas le moment où la drogue aurait été saisie. Pas d'informations non plus sur la provenance des substances illicites, ni sur les clients de ce présumé dealer. Ce que l'on sait de Solidzhon Abdurakhmanov, c'est qu'il collaborait à de nombreux sites d'informations indépendants, dont *Uznews*, qui le présente comme "la dernière voix indépendante du Karakalpakstan". Il a écrit de nombreux articles sur les conséquences sanitaires et humaines de la catastrophe écologique de la mer d'Aral. De là à penser que l'arrestation de Solidzhon Abdurakhmanov aurait été planifiée afin de punir ce reporter...

Au Brésil encore, Vilmar Berna, spécialiste de l'environnement et directeur du quotidien *Jornal do Meio Ambiente*, ne cesse de faire l'objet de menaces et d'intimidations. Son journal dénonce la surpêche clandestine et les menaces qui pèsent sur la faune marine protégée de la baie de Rio. En mai 2006, un cadavre ensanglanté à moitié calciné est déposé devant sa maison. Comme si ce "message" ne suffisait pas, une voix de femme non identifiée l'avertit par téléphone qu'il sera bientôt tué. Vilmar Berna a porté plainte auprès de la police de Niterói et engagé deux gardes du corps à son domicile. Mais, faute de moyens financiers, il n'a pu conserver cette protection. ▶▶

▶▶ This kind of threat has to be taken seriously. Filipino journalist Joey Estriber, a radio host in Aurora province (northeast of Manila), has been missing since March 2006. Kidnapped by four men, he was never seen again. In his programme "Pag-usapan Natin" ("Let's talk about that!"), he often criticised the intensive logging carried out in Aurora by companies with allies inside the government. He had participated in a campaign to have the permits of nine of those logging companies withdrawn.

The Aral Sea's destruction is yet another example of how local authorities are attempting to cover up the catastrophic waste of natural resources. In June 2008, Solidzhon Abdurakhmanov, an Uzbek journalist was arrested in Karakalpakstan (a western autonomous region of Uzbekistan) on a drug trafficking charge and summarily sentenced to 10 years in prison. The verdict was quickly upheld by the local Supreme Court on 19 November 2008, despite a multitude of procedural irregularities and enormous gaps in the prosecution's case. The police video of the operation that led to Abdurakhmanov's arrest strangely did not show the moment when the drugs were allegedly seized. The police also failed to mention where he was supposedly obtaining the drugs or to whom he was allegedly selling them.

What we do know about Solidzhon Abdurakhmanov is that he wrote for many independent news websites, including *Uznews*, which called him "the last independent voice in Karakalpakstan," and that he wrote numerous articles on the impact of the Aral Sea's ecological catastrophe on the local population's livelihoods and health. Everything seems to indicate that his arrest was deliberately planned in order to punish him for his reporting.

Back in Brazil, Vilmar Berna, the editor of the environmentalist daily *Jornal do Meio Ambiente*, which exposes clandestine overfishing and threats to protected marine life in Rio de Janeiro Bay, is constantly the target of threats and intimidation attempts. In May 2006, a bloody, half-burnt body was dumped outside his home. As if that "message" was not sufficiently clear, an anonymous woman caller then warned him that he would soon be killed. He filed a complaint with the Niterói police and hired two bodyguards to protect him at home. However, he could not afford to keep on paying them, so and he no longer has this protection. ▶▶

Partout avec vous depuis 25 ans

www.tv5monde.com

Présenté par David Delos, **"Ecran Vert"** offre, une fois par mois, un regard neuf et sans concessions sur les enjeux du développement durable.

"Des Terres et des Hommes" propose de grandes collections documentaires "Environnement", "Découverte" pour s'étonner, s'émerveiller, s'interroger, en ayant le plaisir de voyager d'un bout à l'autre de la planète à la rencontre des richesses du monde.

"Ecran Vert" et "Des terres et des hommes" sont diffusés sur les 8 chaînes du réseau TV5MONDE

UN MONDE, DES MONDES,
TV5MONDE

La dénonciation de pollutions flagrantes du milieu naturel : une seconde source de menaces pour les reporters

Les exemples ne manquent pas. Au Congo, l'année dernière, des villageois se plaignent de l'accumulation de déchets et de boues de forage à proximité du champ pétrolier de Mbodji, exploité par l'entreprise italienne Eni Congo, à 60 km de Pointe-Noire. Alertée, *Télé Pour Tous (TPT)* se rend sur place et réalise un reportage. Aussitôt pleuvent pressions et menaces des autorités locales. Mais, cette fois, la foule se mobilise en faveur des journalistes. Des échantillons de boues sont finalement prélevés "pour expertise en laboratoire". On attend toujours les résultats de ces analyses.

En Egypte, la Trust Chemical Industries déverse depuis des années des eaux non recyclées dans le lac Manzalah et dans le canal de Suez, non loin de Port-Saïd. Par peur ou sous l'effet de la corruption, l'administration s'abstient d'intervenir. Tamer Mabrouk, un simple blogueur, a pris le risque de publier sur Internet les résultats de ses investigations. Il est poursuivi depuis juin 2008 pour "diffamation". « [...] J'ai moi-même intenté un procès contre cette entreprise, en réclamant sa fermeture pour "nuisances". Le tribunal s'est déclaré incompétent. Parallèlement, des responsables de la Trust Chemical Industies m'ont demandé de retirer ma plainte en échange d'une somme d'argent. J'ai refusé. Maintenant, ils exigent la publication d'un démenti. » Le 26 mai 2009, Tamer Mabrouk a été condamné à verser plus de 6 000 euros d'amende par la cour d'Al-Zohor à Port Saïd. Une somme bien supérieure aux revenus annuels du blogueur. Un signal dissuasif.

En Côte d'Ivoire, on ne parle plus des questions environnementales. En septembre 2006, le Probo Koala, un navire affrété par la société Trafigura, avait déversé en pleine nature de grandes quantités de produits toxiques, provoquant la mort de dix personnes et 7 000 intoxications. Mais, depuis cet énorme scandale, le sujet a disparu des journaux. L'élan de vigilance s'est évanoui. On soupçonne les industriels de Yopougon, qui déversent des produits chimiques dans la lagune d'Abidjan, d'entretenir le tabou en plaçant des "enveloppes" dans les poches des journalistes.

En Chine, Wu Lihong a été condamné à trois ans de prison pour avoir alerté les médias chinois et internationaux sur la pollution qui frappe le lac Taihu, le troisième plus grand de Chine. Il dénonçait sur Internet l'asphyxie du lac par des rejets industriels sauvages. En 2005, le Département de la propagande, en charge de la censure, a attendu dix jours avant d'autoriser la presse à évoquer la pollution au benzène de la rivière Songhua, mettant la vie de millions de riverains en danger. ▶▶

Exposing flagrant pollution of the natural environment: The second source of threats against reporters

There is no shortage of examples. Last year in the Republic of the Congo, villagers complained about the build-up of drilling waste near the Mbodji oilfield (60 km from Pointe-Noire), where the Italian company Eni Congo is drilling. Alerted, *Télé Pour Tous (TPT)* dispatched a reporter there to do a report. It immediately found itself being pressured and threatened by the local authorities. But this time, the public demonstrated in support of the journalists and samples of the drilling waste were taken "for laboratory analysis". The results are still pending.

In Egypt, Trust Chemical Industries has been dumping unrecycled water into Lake Manzalah and the Suez Canal, near Port Said, for years, while the government – whether out of fear or as a result of corruption – refuses to intervene. Tamer Mabrouk, an ordinary blogger, investigated the issue and then took the risk of posting the results of his enquiries online. He was sued for libel in June 2008. "I brought a lawsuit against the company myself, requesting its closure as a source of pollution," Mabrouk said. "The court ruled that it was not competent to hear the case. At the same time, Trust Chemical Industries asked me to withdraw my suit in return for a sum of money. When I refused outright, they demanded that I issue a retraction." On 26 May 2009, the Al-Zohor Court of misdemeanours in Port Said fined Mabrouk 6,000 euros – a sum well above what a blogger can earn in a year – a dissuasive message, indeed.

The environment is no longer discussed in Côte d'Ivoire. Large amounts of toxic waste from the Probo Koala, a tanker chartered by the Dutch company Trafigura, were dumped in and around Abidjan in September 2006. Gases emitted by the waste reportedly killed 10 people and poisoned 7,000. It was a big story for a while but now there is nothing about it in the newspapers. Concern for the environment seems to have evaporated. The Yopougon industrialists who pump chemical products into Abidjan's lagoon are suspected of keeping the subject off-limits by slipping "envelopes" into journalists' pockets.

In China, Wu Lihong was sentenced to three years in prison in 2007 for alerting the Chinese and international media to the pollution of Lake Taihu, the third largest in China. In Internet posts, he blamed the lake's asphyxiation on the uncontrolled dumping of industrial waste. In 2005, China's Propaganda Department, which is in charge of censorship, waited 10 days before allowing the media to report that the Songhua River had been contaminated with benzene, thereby endangering the lives of millions of people living on its banks. ▶▶

Traces de pollution sur le lac Manzalah, suite aux déversements, par la Trust Cheminal Industries, de ses eaux non recyclées. Port-Saïd, Egypte.
Pollution on Lake Manzalah, after the dumping of untreated waste water by the Trust Chemical Industries. Port-Said, Egypt.

© www.elhaqeqa.com

►► Autre exemple flagrant : au Pérou, la pollution provoquée par le complexe métallurgique de Doe Run Peru a fait de La Oroya, dans les Andes, la cinquième ville la plus polluée au monde. La population (35 000 habitants) vit en permanence dans les gaz et les métaux lourds. Mais personne n'entendra parler de ce scandale, car l'entreprise a développé un système de surveillance rudimentaire mais efficace au moyen d'un réseau d'"animatrices de santé" qui quadrillent la ville : quiconque parle avec un journaliste indépendant risque de perdre son travail et ses droits sociaux. La population, misérable, est aujourd'hui hostile à une presse qui risque de lui faire perdre son seul moyen de subsistance. Les salariés de Doe Run Peru ont repoussé le plan de sauvetage écologique pour conserver leur emploi.

Enfin, plus emblématique encore : l'affaire Pasko. Ce journaliste russe travaillant pour le magazine écologique *Ekologiya i pravo* et ancien correspondant pour le journal militaire *Boevaya Vakhta*, a été incarcéré pendant vingt mois entre 1997 et 1999, avant même d'avoir été jugé. Il a été condamné en 2001 à quatre ans de prison ferme pour espionnage et haute trahison. La justice l'a reconnu coupable d'avoir illégalement participé à une réunion de l'état-major de la marine afin de recueillir des informations classées secrètes et de les transmettre à des médias japonais. Grigory Pasko dénonçait la pollution provoquée par le quasi-abandon des sous-marins nucléaires de l'armée russe. Il avait rendu publiques des images de déversement de déchets radioactifs liquides par la flotte russe en mer du Japon. Ces images, filmées alors qu'il était correspondant pour le journal militaire *Boevaya Vakhta* et diffusées par la télévision japonaise *NHK*, avaient suscité de vives réactions internationales. Grigory Pasko, qui a déposé un recours auprès de la Cour suprême russe et de la Cour européenne des droits de l'homme, a reçu le prix Reporters sans frontières-Fondation de France en 2002 pour son combat contre la censure.
►►

►► Peru is another flagrant example. The Andean town of La Oroya is the fifth most contaminated place in the world because of a smelting complex operated by Doe Run Peru. Its 35,000 inhabitants are permanently exposed to heavy metals and gases. But no one will talk about this scandal because the company has developed a crude but effective method of surveillance, using a network of "health workers" who patrol the town. Anyone talking to independent journalists risks losing his job and social benefits. The impoverished inhabitants are very hostile towards the press, which is seen as posing a threat to their only source of work. Doe Run Peru's employees have rejected an ecological rescue plan in order to be sure of keeping their jobs.

Even more emblematic is the case of Grigory Pasko, a former reporter for the Russian navy's in-house newspaper *Boevaya Vakhta* who went on to write for the ecology magazine *Ekologiya i Pravo* about the pollution caused by the virtual abandonment of the navy's nuclear submarines. While still working for *Boevaya Vakhta*, Pasko had filmed footage of the Russian fleet dumping radioactive liquid waste into the Sea of Japan. The film, which was taken while he was a correspondent for *Boevaya Vakhta*, caused an international outcry when it was eventually aired by the Japanese TV station *NHK*. After spending 20 months in prison from 1997 to 1999, he was tried and sentenced to four years in prison in 2001 on charges of spying and high treason. He was accused of illegally attending a meeting of the navy high command in order to gain access to classified information and pass it on to the Japanese news media. He appealed his conviction before the Russian Supreme Court and later brought his case before the European Court of Human Rights. In 2002, he was awarded the Reporters Without Borders-Fondation de France Prize for his fight against censorship.

Even protected areas are at risk

The Sofia-based weekly *Politika* ran a story by Maria Nikolaeva on 9 February 2007 called "The crusade against Strandja", exposing an illegal real estate development project in the middle of Strandzha National Park, Bulgaria's largest nature reserve. That same day, two men went to Nikolaeva's office and told her: "You know full well you shouldn't write things like this. And you know what happens to curious journalists - they get acid thrown at them."
►►

Plongeur sous la marée noire de l'Exxon Valdez. Alaska.
Diver beneath Exxon Valdez oil spill. Alaska.

18mm

15x ZOOM
18-270mm VC

270mm

Le Mégazoom Absolu

TAMRON France
5 avenue Georges Bataille F-60330 Le Plessis Belleville Tél. : +33(0) 3 44 60 73 00 Fax : +33 (0) 3 44 60 23 34 mail@tamron.fr

Tél: +33(03) 44 60 73 00 Fax: +33 (03) 44 60 23 34 mail@tamron.fr

Belgique: H. De Beukelaer & Co n.v./s.a. Tél. : +32 (0)3 877 01 25
Suisse: Perrot Image SA Tél +41(0) 32 332 79 79 Fax : +41 (0) 32 332 79 50

Tamron, fabricant de matériels optiques pour un large éventail d'applications industrielles

www.tamron.fr

TAMRON
New eyes for industry

Même les enclaves écologiques sont menacées

Le 9 février 2007, Maria Nikolaeva publie dans *Politika* une enquête intitulée "La croisade contre Strandja", dénonçant un projet d'implantation immobilière au cœur du plus important site protégé de Bulgarie. Le jour même, deux hommes se présentent à son bureau : « Tu sais bien qu'on n'écrit pas des choses pareilles. Tu sais ce qui arrive aux journalistes un peu trop curieux ? On les asperge d'acide. »

Mikhaïl Beketov est journaliste à Khimki, dans la proche banlieue de Moscou. Il dénonce depuis longtemps les autorités locales et s'est bâti une réputation de défenseur de la forêt de Khimki, menacée par un projet de construction d'une voie rapide reliant Moscou à Saint-Pétersbourg. En mai 2007, sa voiture est incendiée par des inconnus. En février 2008, il fait l'objet d'une instruction judiciaire. Début novembre 2008, il prépare une lettre-pétition à l'intention des autorités russes, signée par les habitants de Khimki opposés à la destruction de la forêt. Il n'a pas le temps de la poster : le 13 novembre, des inconnus le battent à mort, croient-ils. Après plusieurs jours de coma, le journaliste survit, amputé d'une jambe et de plusieurs doigts. Le 19 janvier de cette année, l'un de ses avocats, Me Stanislas Markelov, est assassiné en plein Moscou. *Novaïa Gazeta* publie la lettre de Mikhaïl Beketov dans son édition du 18 février 2009. Mais les habitants de Khimki ne verront jamais ce journal : un inconnu a acheté tous les numéros avant leur distribution. Le maire de Khimki, Victor Streltchenko, artisan du projet immobilier auquel s'oppose Mikhaïl Beketov, a été réélu en mars 2009.

Il faut continuer

Yann Arthus-Bertrand et dix membres de son équipe - assistants, techniciens et producteurs - effectuaient un reportage pour l'émission "Vu du Ciel", lorsqu'ils ont été arrêtés, le 20 février 2008, à l'aéroport de Puerto Iguazú, en Argentine. L'équipe de tournage enquêtait sur la controverse suscitée par la construction du barrage de Yacyreta, près de Posadas (capitale de la province de Misiones). Des policiers avaient observé d'un œil suspicieux la rencontre de l'équipe avec les habitants du village d'El Brete, hostiles à la construction d'un autre barrage dans le périmètre de leur localité, avant d'interdire de vol, l'hélicoptère affrété pour le tournage. L'équipe n'a été libérée sous caution que cinq jours plus tard.

Nombreux sont les journalistes qui prennent des risques pour éveiller les consciences. Il faut qu'ils continuent, malgré les pressions. Nous devons les y aider. Cet album leur est dédié. ■

Reporters sans frontières

▶▶ Mikhail Beketov, a journalist based in Khimki, in a town on the outskirts of Moscow, has criticised the local authorities for years and has established a reputation as a defender of Khimki Forest, which is threatened by the construction of a motorway between Moscow and St. Petersburg. His car was set on fire in May 2007. Local prosecutors brought a criminal libel case against him in February 2008. Early last November, he drafted a letter to the Russian authorities enclosing a petition signed by Khimki residents opposing the forest's destruction, but he never had the time to post it. He was beaten by unidentified assailants and left for dead outside his home on 13 November 2008. He survived, but only after spending days in a coma and having a leg and several fingers amputated. On 19 January of this year, one of Beketov's lawyers, Stanislav Markelov, was murdered in downtown Moscow. The Moscow-based daily *Novaya Gazeta* published Beketov's letter on 18 February 2009, but no one in Khimki ever saw the issue: someone bought up all the copies before they could be distributed there. Khimki mayor Victor Strelchenko, who commissioned a real estate project that Beketov had opposed, was re-elected in March 2009.

Never give up

French photographer, filmmaker and ecologist Yann Arthus-Bertrand and a 10-member crew of assistants, technicians and producers were doing a report for the "Earth from Above" French TV programme. The film crew was investigating the controversial construction of a dam at Yacyreta, near Posadas (the capital of the Argentine province of Misiones) when they were arrested at Argentina's Puerto Iguazú airport on 20 February 2008. The suspicions of the Argentine police had been aroused when the crew met with inhabitants of the village of El Brete, on the outskirts of their district, who opposed the dam. The helicopter they had chartered was grounded and they ended up being held for five days before finally being released on bail.

There are scores of journalists who take risks in order to raise public awareness. They must never give up, despite all of the pressures they have to endure. And we must help them. This book of photographs is dedicated to them. ■

Reporters without borders

REPORTERS WITHOUT BORDERS WAS AWARDED THE **ROLAND BERGER HUMAN DIGNITY AWARD 2009,** PRESENTED BY FEDERAL PRESIDENT HORST KÖHLER AND ENDOWED WITH 1 MILLION EURO, FOR THEIR **OUTSTANDING ACHIEVEMENTS IN PROTECTING THE FUNDAMENTAL RIGHT OF PRESS FREEDOM,** THUS PROMOTING THE FREE EXCHANGE OF OPINION. IN THE LIGHT OF RECENT EVENTS, DR. SHIRIN EBADI WAS RECOGNIZED FOR **SPEAKING OUT FOR THE PROTECTION OF HUMAN RIGHTS.**

Georg Mascolo, Jean-François Julliard, Dr. Shirin Ebadi, Federal President Horst Köhler, Prof. Dr. h.c. Roland Berger

ROLAND BERGER HUMAN DIGNITY AWARD
TO PROMOTE PEACEFUL COOPERATION IN THE WORLD

ROLAND BERGER
STIFTUNG

For more information, please refer to www.rolandbergerfoundation.org

Toute l'équipe de Reporters sans frontières remercie très chaleureusement

L'ensemble des partenaires et prestataires, sans qui, il n'aurait pas été possible de réaliser ce nouvel album. Grâce aux efforts de chacun, les ventes de cet ouvrage permettent à notre organisation d'être indépendante et de poursuivre son combat en faveur de la liberté de la presse dans le monde.

Larry Minden et l'équipe de l'agence **Minden Pictures** et tout particulièrement son agent en France **Joël Halioua** (JHEditorial), à l'origine de cet album, pour sa disponibilité et son implication dans la mise en place de ce projet.

Merci aux photographes présents dans cet album pour leur générosité et leur travail : **Theo Allofs, Ingo Arndt, Fred Bavendam, Jim Brandenburg, Matthias Breiter, Carr Clifton, Tui De Roy, Eric Dietrich, Jasper Doest, Richard Du Toit, John Eastcott, Gerry Ellis, Suzi Eszterhas, Katherine Feng, Michio Hoshino, Mitsuhiko Imamori, Mitsuaki Iwago, Albert Lleal, Thomas Mangelsen, Thomas Marent, Hiroya Minakuchi, Larry Minden, Mark Moffett, Yva Momatiuk, Colin Monteath, Piotr Naskrecki, Chris Newbert, Flip Nicklin, Pete Oxford, Michael Quinton, Cyril Ruoso, John Watkins, Konrad Wothe, Norbert Wu, Xi Zhinong** et **Christian Ziegler.**

Nous tenons également à remercier la **Fondation EDF Diversiterre** qui nous apporte son soutien sur cet album et particulièrement **Corinne Chouraqui** qui a cru en ce projet.

Nous remercions la **Fondation Nicolas Hulot pour la Nature et l'Homme** et tout particulièrement son président, **Nicolas Hulot**, pour la justesse de ses mots et son engagement. Un grand merci à **Manuela Lorand, Florence de Monclin** et **Anne de Béthencourt** pour leur disponibilité.

Merci à **Jane Goodall** pour son témoignage ainsi qu'à **Elena Adam** qui réalise une interview saisissante de la primatologue. Merci à **David Lefranc**, président de l'Institut Jane Goodall France.

Merci à **Aymeric Gherrak** qui signe la mise en page de cet ouvrage.

Merci à **Robert Ménard** pour ses conseils avisés.

Mesdames **Roberte Ménard** et **Carol C.Macomber** pour leurs précieuses relectures ainsi que **Emmanuelle Rivière, Michael Tarr** et **Benoît Vanoverstraeten** pour leurs traductions.

Merci à **Jacques Taquoi, François Cornelou** et toute l'équipe de **Point 4** qui ont supervisé les travaux d'impression et de photogravure de cette édition.

Un grand merci aux **NMPP** et à l'ensemble des dépositaires et diffuseurs de presse qui distribuent l'album de Reporters sans frontières depuis des années avec la même efficacité. Merci aux réseaux **Relay, Maison de la Presse, Mag Presse, AAP** et **PROMAP** qui accompagnent la sortie de ce magazine depuis de nombreuses années. Nous remercions également l'**UNDP** et le **SNDP** qui soutiennent l'organisation et son combat.

Interforum Editis qui diffuse gracieusement nos ouvrages et permet ainsi à plus de **200 librairies en France**, aux **librairies en ligne**, à la **Fnac** ainsi qu'à l'ensemble des **magasins spécialisés** et aux **enseignes de la grande distribution** de les proposer à leurs clients.

France Loisirs qui s'associe régulièrement à notre cause et distribue cet album au profit de l'organisation.

Un grand merci à l'enseigne **Naturalia** qui soutient ce projet en diffusant gracieusement cet album dans l'ensemble de ses magasins.

Merci à **Suez Environnement** pour son soutien.

L'agence **Saatchi & Saatchi** qui réalise gracieusement la campagne de publicité pour l'album, **les afficheurs et les différents titres de presse, radios, sites Internet, chaînes de télévision**, qui acceptent de diffuser la campagne pour soutenir notre action.

Enfin, merci à vous, **chers lecteurs**, grâce à votre fidélité, nous avons l'ambition de faire reculer la censure.

The entire Reporters Without Borders team expresses its sincere gratitude to

All the partners and service providers without whom this new book of photographs could not have been produced. Thanks to their efforts, the sales of this book will help our organisation to be independent and to continue defending press freedom worldwide.

Larry Minden and the **Minden Pictures** agency team and, in particular, **Joël Halioua** (JHEditorial), his French agent who was responsible for this project. His dedication made it possible.

The photographers whose work is seen in this book. We thank them for their generosity and their talent: **Theo Allofs, Ingo Arndt, Fred Bavendam, Jim Brandenburg, Matthias Breiter, Carr Clifton, Tui De Roy, Eric Dietrich, Jasper Doest, Richard Du Toit, John Eastcott, Gerry Ellis, Suzi Eszterhas, Katherine Feng, Michio Hoshino, Mitsuhiko Imamori, Mitsuaki Iwago, Albert Lleal, Thomas Mangelsen, Thomas Marent, Hiroya Minakuchi, Larry Minden, Mark Moffett, Yva Momatiuk, Colin Monteath, Piotr Naskrecki, Chris Newbert, Flip Nicklin, Pete Oxford, Michael Quinton, Cyril Ruoso, John Watkins, Konrad Wothe, Norbert Wu, Xi Zhinong** and **Christian Ziegler.**

We would also like to thank: The **EDF Diversiterre Foundation**, which supported the production of this book and, in particular, **Corinne Chouraqui**, who believed in this project.

The **Nicolas Hulot Foundation for Nature and Mankind**, especially its president, **Nicolas Hulot**, for his wise words and his commitment. **Manuela Lorand, Florence de Monclin** and **Anne de Béthencourt** for being so helpful.

Primatologist **Jane Goodall** for her fascinating interview and **Elena Adam**, who interviewed her. **David Lefranc**, President of The Jane Goodall institue France.

Aymeric Gherrak, who did the layout.

Robert Menard for his fine advices.

Roberte Ménard and **Carol C. Macomber** for their invaluable revisions as well as **Emmanuelle Riviere, Michael Tarr** and **Benoît Vanoverstraeten** for their translations.

Jacques Taquoi, François Cornelou and all the **Point 4** staff, who supervised the photoengraving and printing.

NMPP and all the news agents and distributors who have been distributing the Reporters Without Borders books of photos free of charge for years, always with the same efficiency. The **Relay, Maison de la Presse, Mag Presse, AAP** and **PROMAP** networks, which have been helping to distribute these books for years, as well as the **UNDP** and the **SNDP**, which also support Reporters Without Borders and its work.

Interforum Editis, which distributes our books free of charge, as do more than **200 bookshops in France, online bookshops, Fnac, specialised shops** and **major national retail chains.**

France Loisirs, which has repeatedly supported our cause and which is distributing this book.

The **Naturalia** chain, which is supporting this project by distributing the book free of charge in all of his outlets.

Suez Environnement for its support.

The **Saatchi & Saatchi** advertising agency, which is producing the advertising campaign for this book free of charge, and the **poster display agencies** and various **newspapers, magazines, radio stations, websites** and **TV stations**, which have agreed to carry out adverts in order to support our work.

And finally, **all our readers**, whose loyalty allows us to continue combating censorship.

Reporters sans frontières
Secrétariat international /
Reporters Without Borders
International Secretariat
47, rue Vivienne
75002 Paris / France
Tél. : + 33 (0)1 44 83 84 84
Fax : + 33 (0)1 45 23 11 51

Editions Reporters sans frontières /
A Reporters Without Borders Publication:
**Collection "Pour la liberté de la presse" /
"For Press Freedom"**

Directeur de la publication / Publisher:
Jean-François Julliard
Coordination / General Coordinator:
Karine Larue & Anne-Sophie Le Goff
edition@rsf.org

Direction artistique / Art Director:
Aymeric Gherrak
Tél. : + 33 (0)6 82 09 42 13
robox@free.fr

Régie publicitaire / Advertising:
Nathalie Morel d'Arleux
Tél. : + 33 (0)6 80 23 61 95
n.moreldarleux@wanadoo.fr

Fabrication / Production:
Jacques Taquoi – Société Koryo
Tél. : + 33 (0)1 80 80 12 12
jacques.taquoi@koryo.fr

Achevé d'imprimer en août 2009 /
Printed in August 2009

Photographies de la couverture et du portfolio "100 Photos" /
Cover photographs and "100 Photographs" portfolio
all by Minden Pictures

Editorial : "Les sentinelles de la planète" /
Editorial: "The planet's watchdogs"
© Reporters sans frontières

Préface Nicolas Hulot : "La liberté en partage"
Preface Nicolas Hulot: "A shared freedom"
© Fondation Nicolas Hulot pour la Nature et l'Homme

Interview Jane Goodall /
"Le monde peut changer en une nuit"
Interview Jane Goodall /
"The world can change overnight"
© Elena Adam

Présentation Minden Pictures & légendes /
Presentation Minden Pictures & captions
© Minden Pictures – Joël Halioua (JHEditorial)

Liberté de la presse et environnement /
Press freedom and environment
© Reporters sans frontières

ISBN : 978-2-915536-81-2
ISSN : 1958-0797